NOS SI BEAUX RÊVES DE JEUNESSE

Consacré en 2015 comme l'un des dix romanciers préférés des Français, Christian Signol est l'auteur de grandes fresques telles que *La Rivière Espérance* ou *Les Vignes de Sainte-Colombe*. Récompensée par de nombreux prix littéraires, son œuvre a été adaptée à plusieurs reprises à l'écran.

Paru au Livre de Poche :

AU CŒUR DES FORÊTS
BLEUS SONT LES ÉTÉS
BONHEURS D'ENFANCE
CE QUE VIVENT LES HOMMES
1. Les Noëls blancs
2. Les Printemps de ce monde
CETTE VIE OU CELLE D'APRÈS
LES CHÊNES D'OR
LA GRANDE ÎLE
ILS RÊVAIENT DES DIMANCHES
LES MESSIEURS DE GRANDVAL
1. Les Messieurs de Grandval
2. Les Dames de la Ferrière
POURQUOI LE CIEL EST BLEU
LA PROMESSE DES SOURCES
UN MATIN SUR LA TERRE
UNE ANNÉE DE NEIGE
UNE SI BELLE ÉCOLE
LES VIGNES DE SAINTE-COLOMBE
1. Les Vignes de Sainte-Colombe
2. La Lumière des collines
LES VRAIS BONHEURS

CHRISTIAN SIGNOL

Nos si beaux rêves de jeunesse

ROMAN

ALBIN MICHEL

ISBN : 978-2-253-06973-7 – 1re publication LGF

À Juliette, née en 2015

« Ce que raconte l'Histoire n'est, en effet, que le long rêve, le songe lourd et confus de l'humanité. »

Arthur SCHOPENHAUER

PREMIÈRE PARTIE

Les rivages d'or

1

Chaque matin il se réveillait en respirant l'odeur de pluie, de vase et de terre battue de sa maison bâtie au bord du fleuve, de l'autre côté du chemin de rive escorté de platanes et de fins peupliers. Il se refusait à ouvrir les yeux, demeurait blotti sous la couverture, persuadé que rien, pas même la menace des crues de l'automne, ne viendrait ternir l'éclat des jours étincelants au sein desquels il s'éveillait – cette lumière d'or qui filtrait à travers le volet, et dont il était convaincu qu'elle ne s'éteindrait jamais.

Il entendit la voix de sa mère qui l'appelait d'en bas : « Étienne, lève-toi, c'est l'heure ! », mais pas celle de son père qui était parti très tôt travailler à la sablière dont il percevait le murmure à trois cents mètres de là, et qui allait chercher dans le lit de la Garonne le trésor qu'elle vendait aux cimentiers de la ville. On disait la « sablière » ou la « drague », car un immense godet en fer plongeait depuis un filin d'acier pour arracher les graviers au fond du fleuve, qui se rebellait, parfois, et venait noyer les rives dans des colères, qui, heureusement, ne duraient pas.

On y était habitué. C'était ainsi : les riverains vivaient avec le fleuve, qui avait ses caprices, comme les hommes, et dont on s'accoutumait sans la moindre rancœur. De temps en temps, il débordait jusqu'aux collines plantées de vignes et de vergers, dont les premiers ressauts commençaient à huit cents mètres des rives, mais c'était sa manière de fertiliser les champs de maïs et de tabac dont la plaine était recouverte jusqu'au cœur de l'automne.

C'était là tout l'univers d'Étienne : la Garonne, les champs, les vignes sur le coteau qu'il escaladait pour se rendre à l'école du village bâti prudemment au sommet. Le fleuve appartenait à son père, les champs à sa mère qui travaillait dans les fermes, à la journée.

— Étienne ! C'est l'heure ! Descends !

Non ! Il ne descendrait pas. Enfin, pas tout de suite. Il n'était pas pressé de gagner les collines où était perché le village. Il ne s'y attardait jamais, et il courait, il courait toujours, comme s'il avait trahi son père et sa mère en s'éloignant de la vallée. C'était pour cette raison qu'il n'aimait pas l'école, et aussi parce qu'il rêvait trop, cherchant par la fenêtre, là-bas, très loin, entre les frondaisons, l'éclat de vitre qui lui confirmerait que le fleuve était bien toujours là, et sa maison également.

Il n'y en avait pas qu'une, il y en avait deux autres, sur la même rive, vers l'aval. D'abord celle d'Eugène, le pêcheur qui vivait seul, comme un sauvage, et, un peu plus loin, celle de Lina, qu'Étienne attendait à l'aller comme au retour de l'école, parce qu'elle avait peur de tout, et qui lui disait, chaque soir, avant de le quitter : « Demain matin, attends-moi, Étienne, sinon je pourrai pas. » Elle était belle et sauvage, Lina, bronzée de la tête aux pieds, souple et fine comme une tige d'osier. Elle ne se prénommait pas Lina, mais Mélina. C'était un drôle de prénom que son père et sa mère lui avaient donné ! Quoi qu'il en soit, tout le monde l'appelait Lina.

Étienne se dit qu'il fallait qu'il se lève, sinon c'est elle qui l'attendrait, là-bas, avant de traverser le pont sous la voie ferrée et, juste derrière lui, la nationale qui conduisait vers les villes où ses parents n'allaient jamais. Ils n'avaient pas le temps, car ils travaillaient du matin au soir. Son père, sa mère, mais pas la mère de Lina : elle était paralysée. C'est pour cette raison que Lina avait peur... peut-être. Il n'avait pas peur, lui, Étienne. Pas même d'Eugène qui ne parlait à personne et que tout le monde fuyait. Il le connaissait bien, il allait le voir souvent, pendant les vacances, et l'aidait à ravauder ses filets. Eugène fumait des grosses cigarettes jaunes, il pêchait la nuit, vendait ses poissons dans les auberges, et il était heureux, ça se voyait. « Plus tard, songea Étienne, je ferai comme lui. »

— C'est la dernière fois que je t'appelle ! cria sa mère.

Il se leva enfin, se passa de l'eau sur le visage devant la bassine posée sur la petite armoire, il s'habilla : le pantalon court, la chemisette de toile – on était au début d'octobre et il ne faisait pas encore froid –, puis il descendit les marches de l'escalier où, en bas, l'attendaient ses espadrilles de corde. Sa mère était là, dos tourné, devant la cheminée où elle préparait, sur le trépied en fonte, le repas de midi. Sur la table de bois brut, un bol de café au lait, deux tartines de pain agrémentées de confiture de prunes s'offraient à Étienne. Il s'assit, se mit à manger, et elle reprocha :

— Combien de fois je devrais t'appeler le matin ? Tu crois que j'ai que ça à faire ?

« Évidemment ! songea-t-il. Elle travaille tellement que je ne la vois que de dos. Jamais elle ne me regarde. Pourquoi faut-il que les adultes travaillent tout le temps ? »

Il but une gorgée de café, reposa le bol, demanda :

— Pourquoi tu travailles tout le temps ?

— Oh ! Ce gosse ! fit-elle.

Ce fut tout. Elle n'en dirait pas plus, il le savait. De même qu'il savait que son père ne parlait pas davantage. Tous deux paraissaient toujours fatigués. Pas malheureux, mais fatigués. Comment serait-on malheureux dans cette vallée de verdure, inondée de lumière, au bord du grand fleuve ? Il se dit une nouvelle fois que plus tard il resterait là, qu'il ne quitterait pas ces rives escortées de platanes et de peupliers, ces bouquets de saules et d'acacias, ces champs de maïs et de tabac, la chanson du murmure de l'eau, ce refuge où le ciel était toujours bleu. C'est pour cette raison qu'il ne travaillait pas à l'école : il se méfiait de ce que les adultes lui préparaient.

— Étienne ! Tu vas être en retard !

Il sauta sur ses pieds, se saisit de sa sacoche de cuir et de sa musette où sa mère avait placé son repas de midi – c'était trop loin, il ne rentrait pas –, puis il lança joyeusement avant de disparaître :

— À ce soir !

Lina aussi courait sur le chemin de halage, après s'être approchée à pas de loup de la maison d'Eugène. Ensuite, une fois sûre qu'il ne la guettait pas, elle démarrait de toute la vitesse de ses petites jambes et elle courait, et elle courait, et il lui semblait qu'elle courait jour et nuit. Elle avait peur d'Eugène. Sa mère lui avait dit : « Méfie-toi du pêcheur. » Elle se demandait ce qu'il pourrait bien lui faire s'il l'attrapait. Elle s'en doutait mais feignait de ne pas le savoir. Il fallait se méfier des hommes, ne jamais leur faire confiance. Elle avait onze ans, mais elle le savait. Sa mère le lui répétait chaque jour.

Avant, ils louaient quelques terres, mais depuis que sa mère était paralysée, ils n'avaient gardé qu'un pré, une vache, des volailles et un jardin. Le père travaillait dans une entreprise de travaux publics, sur les routes d'où il rentrait épuisé, surtout en été, comme brûlé par le soleil. Il s'asseyait devant la table, il buvait deux verres de vin, quelquefois trois, et restait là, sans bouger, sans un mot. À la fin, alors qu'il semblait dormir, il demandait :

— Alors, petite ?

Alors quoi ? Elle ne savait que répondre, et d'ailleurs elle n'en avait pas le temps. Sa mère lui expliquait ce qu'elle devait faire : tailler le pain de la soupe, traire la vache car les gens allaient venir chercher le lait, la vaisselle, le ménage. Il n'y avait qu'à l'école qu'elle connaissait un peu de répit, ou alors dans l'étable, une fois qu'elle avait trait la blonde d'Aquitaine qui avait de si grands yeux, elle s'allongeait dans la paille quelques minutes, et elle fermait les siens pour mieux rêver.

Elle songeait alors que plus tard elle partirait, qu'Étienne l'emmènerait. Ils iraient dans les villes : Agen, Montauban ou Toulouse, elle n'aurait plus peur, jamais, de la Garonne et de ses colères, du maître d'école, de la maison d'Eugène, de sa mère qui ne lui laissait pas le temps d'étudier ses leçons alors qu'elle se plaisait à l'école. Elle était persuadée que c'était la porte entrouverte d'un autre monde et parfois elle souhaitait que sa mère meure, s'effrayait de ses pensées, se répétait en elle-même : « C'est pas vrai, c'est pas vrai ! Ni ma mère, ni mon père. Qu'est-ce que je deviendrais sans eux ? On me mettrait à l'Assistance ! »

C'est ce qu'affirmait sa mère quand elle trouvait que sa fille ne travaillait pas assez vite. Elle ne le pensait pas : Lina le devinait dans ses yeux. Ils étaient toujours mouillés, ses yeux. Qu'y pouvait-elle si sa mère ne marchait plus ? Ce n'était pas de sa faute. Pourquoi fallait-il que tout soit toujours de sa faute ?

Elle courait, elle courait, car le village était loin : trois kilomètres. Elle approcha de la sablière où elle devina, entre les platanes, la drague et ses dents monstrueuses d'acier qui plongeaient vers la Garonne, la creusaient, et remontaient le sable et le gravier dégoulinant d'eau, dans un crissement de câbles reliés d'un côté à l'autre des rives. Là travaillait le père d'Étienne. Elle le savait, tentait de l'apercevoir dans la cabine des commandes, mais c'était trop loin.

Étienne ressemblait à son père : grand, brun, sec, des yeux d'un vert profond qui vous fixaient sans jamais ciller, comme pour vous ensorceler. Lina était fascinée par cette couleur qui l'attirait comme le velours d'une eau profonde. Heureusement qu'il existait, Étienne. « Qu'est-ce que je deviendrais sans lui ? » songea-t-elle. Ce n'était pas un homme, Étienne, mais un garçon. Elle se demanda à partir de quel moment ils devenaient des hommes, les garçons. Si seulement elle pouvait interroger quelqu'un… mais non, elle demeurait seule avec ses questions, sans secours, sans personne à qui parler, sinon Étienne à qui elle n'osait pas les poser.

À bout de souffle, elle s'arrêta brusquement. Marcher. Marcher un peu. Arrêter de courir. Elle aurait voulu s'arrêter de courir, et parfois elle aurait voulu mourir. Elle s'inquiétait du fait que de temps en temps sa tête parlait toute seule. Elle s'en méfiait, comme des hommes, comme de l'eau. Si l'eau montait rapidement, sa mère ne pourrait pas s'enfuir. Voilà pourquoi aussi elle courait. Les crues, c'était à l'automne ou au printemps, et on était en octobre. Heureusement, il ne pleuvait pas. Pas encore. Peut-être qu'il ne pleuvrait pas. « Mon Dieu, murmura-t-elle, faites qu'il ne pleuve pas ! » Elle n'y croyait pas beaucoup à ce Bon Dieu-là. Il ressemblait à monsieur le curé et elle le détestait : il lui semblait qu'il se méfiait des filles, qu'il leur en voulait. De quoi ? Pourquoi ? Comment savoir ? Quand donc pourrait-elle percer ce genre de mystère ?

Elle se remit à courir en maintenant contre elle de sa main droite la sacoche de cuir où tanguaient les livres, les cahiers, et, dans une poche de toile grise qu'avait cousue sa mère, son repas de midi. Elle réalisa qu'elle avait oublié de prendre du poulet. Elle n'aurait que du pain, du fromage et une pomme. Tant pis ! De toute façon elle n'appréciait pas la nourriture. C'est aussi pour cette raison qu'elle avait horreur de faire la cuisine. Avant, elle aidait volontiers sa mère, mais depuis un an ou deux ce trépied noir sur les braises noircissait sa vie. Elle ne voyait plus les couleurs. Pourquoi ? Pourquoi ? Si seulement elle avait pu le savoir ! Peut-être était-ce depuis que sa mère était tombée. Lina avait l'impression que sa mère était très vieille et elle très jeune. C'était son trésor : elle était jeune, très jeune, et elle partirait. Elle découvrirait le monde et il l'aimerait. Elle en était sûre. Aussi sûre qu'Étienne l'attendait, là-bas, sous le petit pont de la voie ferrée.

Elle buta contre le bord d'un nid-de-poule creusé par la dernière crue, s'affala sans avoir le temps de projeter ses mains en avant, se tourna heureusement un peu sur le côté avant le choc. « Quelle imbécile ! » Elle se releva d'un bond, comme une chatte surprise, palpa son épaule découverte par la robe aux fines bretelles, examina sa main, puis son genou gauche et vit le sang. Elle cracha sur sa main, la passa sur la rotule, le sang disparut, mais, aussitôt, il revint. « T'es trop maladroite, ma pauvre ! murmura-t-elle entre ses dents. Voilà que tu ne tiens plus sur tes jambes, à présent. » Et, de colère, elle ajouta : « Je m'en fous, je m'en irai ! »

Elle redressa la tête, oublia le sang, se remit à courir, aperçut le pont, accéléra autant qu'elle le put, puis s'arrêta de nouveau, essuya son genou, repartit. Elle pensa que peut-être Étienne ne le remarquerait pas, et que même s'il voyait le sang, il ne dirait rien. Ou alors seulement : « Mais qu'est-ce que tu fabriques ? », comme toujours quand elle était en retard.

— Mais qu'est-ce que tu fabriques ? demanda Étienne, en la découvrant, à bout de souffle, sous le pont.

Elle se figea quelques secondes, cherchant sa respiration avant de répondre, mais elle préféra se taire. Il avait vu le sang sur son genou, mais il n'en fit pas la remarque à Lina.

— T'es toujours en retard, dit-il en soupirant.

Et il la prit par l'épaule pour la faire passer devant. Cette manière de la rudoyer le dispensait de l'embrasser, comme elle le lui avait demandé un matin, provoquant un haussement d'épaules qui l'avait blessée.

— La prochaine fois, je t'attendrai pas, dit-il, tandis qu'elle se remettait à courir vers le coteau.

Ils approchèrent de la nationale où se succédaient des poids lourds et des voitures de plus en plus nombreux, de plus en plus rapides. Il lui prit la main pour traverser, puis il la lâcha et se remit à courir vers la colline où les vignes avaient été vendangées. Elle aurait voulu s'arrêter pour chercher une grappe de chasselas oubliée, mais ce serait pour ce soir. Elle adorait grappiller dans les vignes après les vendanges de septembre où elle allait aider, comme Étienne, les propriétaires qui leur donnaient quelques sous. En août, ils récoltaient les prunes et les pêches, dont les vergers, entre les vignes, devenaient moins importants au fur et à mesure qu'ils montaient vers le village dont ils apercevaient le clocher roux, là-haut, au-dessus des maisons coiffées de tuiles romaines.

Elle s'arrêta brusquement et dit :

— J'ai pas eu le temps d'apprendre la leçon d'histoire. Essaye de me souffler, comme hier.

— Si je peux.

Mais elle était certaine qu'il lui soufflerait, comme toujours, parce qu'elle était assise devant lui, entre son pupitre et le bureau du maître à qui elle dissimulait Étienne. Elle crut se souvenir qu'il s'agissait d'une leçon sur Saint Louis, un roi qui rendait la justice sous un chêne et qui partait en croisade. Mais elle s'en moquait de Saint Louis et de ses croisades ! Elle en avait assez de courir, comme ça, tous les jours. Ce qu'elle désirait le plus au monde, c'était s'en aller. Et elle tentait de se persuader que si Étienne ne l'emmenait pas, elle s'en irait toute seule le plus loin possible, au bout du monde. Elle avait vu des grandes villes dans les livres, il y avait des lumières et des vitrines partout, de larges avenues où se pressaient des gens en costume, pas du tout habillés comme ceux d'ici, et des voitures rouges, des immeubles immenses près de toucher le ciel…

Elle leva la tête, trébucha une nouvelle fois, et elle retomba. « Oh, non ! Encore ! » Étienne la releva, lui demanda si elle s'était fait mal, mais elle ne répondit pas et repartit. Le chemin rejoignait la route départementale à mi-coteau, et il était plus facile de courir sur le macadam, entre les vergers et les vignes qui continuaient de s'étager vers les premières maisons. Ils n'avaient pas encore entendu la cloche de l'église, et donc ils n'étaient pas en retard.

— Arrête ! dit Étienne. Ça va, maintenant.

Des femmes vêtues de tabliers noirs les regardèrent passer avec des regards soupçonneux, ils dirent « bonjour » comme on le disait rituellement, sur ces terres chaleureuses, par habitude plus que par convention. Lina savait qu'elles détaillaient tout, savaient tout, et qu'en venant chercher le lait, chaque soir, certaines racontaient à sa mère ce qui se passait au village et ailleurs. Elle s'en méfiait autant qu'elle se méfiait des hommes, mais pas pour les mêmes raisons. Évidemment.

Elle se promettait que jamais elle ne deviendrait comme elles. Et d'ailleurs elle ne leur ressemblait pas. Elle ne leur ressemblerait jamais. Et jamais elle ne serait vieille. Comment pouvait-on devenir vieux ? Est-ce qu'on se sentait devenir vieux ? Elle se posait souvent des questions auxquelles elle ne pouvait pas répondre. Même Étienne ne savait pas. Il n'y avait que le maître pour en être capable, mais elle n'oserait jamais lui demander comment il était devenu vieux. Et puis ça ne l'intéressait pas, ces histoires. Pourquoi pensait-elle à la vieillesse alors qu'elle avait onze ans et qu'elle les aurait toujours ? Ça n'allait pas dans sa tête, sa mère le lui répétait souvent.

Passé les premières maisons, toujours suivie par Étienne, elle déboucha sur la place avec, en face d'elle, l'église moyenâgeuse et son clocher à peigne, et, sur la droite, le magnifique tilleul de la Première République qui ombrageait un banc aussi vieux que lui. Des maisons basses et massives aux pierres blondes entouraient la place, où la fontaine, au milieu, chantait dans le matin – elle aimait y boire tous les soirs en repartant. L'école se trouvait un peu plus bas, sur la gauche, aussi massive que les maisons voisines, avec ses deux cours en terre battue et ses deux préaux.

Lina courut vers celle des filles pour tenter d'ouvrir en toute hâte son livre d'histoire, mais elle n'en eut pas le temps. Sur la deuxième marche de l'entrée, le maître tira la chaînette de la cloche et Lina se précipita pour venir se ranger sur une file parallèle à celle des garçons : la classe était commune mais les cours séparaient les filles des garçons. Elle s'en moquait : Étienne venait souvent parler avec elle par-dessus la murette, et elle le voyait aussi souvent qu'elle le voulait.

Les filles de son âge ne lui parlaient guère, car elle n'appartenait pas au village : elle était d'en bas – du fleuve –, et c'étaient deux mondes différents. Elle ne se souciait pas de ce rejet : de toute façon elle se sentait étrangère à elles. Elles ne savaient rien du fleuve, elles en avaient peur et ne se baignaient pas l'été, sur le sable entre les galets où il fait si bon s'allonger à l'ombre des platanes, après avoir plongé dans le profond de l'ancienne drague. Elle aimait ces moments de répit, sous la grosse chaleur du mois d'août, dès qu'elle pouvait s'échapper de la maison et s'approcher de l'eau. Elle ne craignait pas de se noyer : elle savait nager depuis l'âge de cinq ans. C'était obligé, au bord du fleuve. Quant à Étienne, il nageait encore mieux qu'elle.

— Mélina ! Qu'est-ce que je viens de dire ? l'interrogea soudainement le maître d'un air sévère.

Elle se demanda ce qu'elle avait pu bien lui faire à ce vieux hibou avec son nez crochu, ses lunettes rondes et ses sourcils en accent circonflexe, pour qu'il l'interroge ainsi tous les matins.

— Regarde le tableau ! souffla Étienne dans le dos de Mélina. La phrase de morale.

Elle lut ce que le maître avait écrit à la craie : « La volonté et le courage permettent d'atteindre les buts que l'on s'est fixés », mais comme elle n'avait pas écouté, elle ne sut que répondre.

— Le courage ! murmura Étienne, c'est de travailler même lorsque l'on est fatigué.

Lina semblait ne pas entendre, ou alors, comme d'habitude, elle se murait dans un silence hostile et farouche.

— La volonté, c'est le début du courage, dit Étienne.

— Étienne ! Viens ici ! ordonna le maître.

« Ça y est ! C'est mon tour ! » pensa-t-il. Il aurait dû s'y attendre : déjà la semaine dernière elle l'avait fait punir. Mais pourquoi s'embarrassait-il d'une fille pareille ? Elle était toujours là, à lui poser des problèmes, alors que ce n'était même pas sa sœur, qu'il n'avait pas besoin d'elle. C'est un frère qu'il aurait voulu avoir, lui, un frère avec qui il aurait tout partagé, avec qui il aurait couru des aventures sur l'eau, sur les coteaux, partout dans la vallée !

— Approche ! dit le maître. Viens devant le bureau, croise les bras, et tais-toi ! On réglera ça après.

Quand Étienne voyait Lina, comme ça, debout et pâle, avec ses deux fossettes aux joues, cherchant du secours de tous les côtés, il avait toujours l'impression qu'elle allait s'évanouir. Un jour, d'ailleurs, elle s'était vraiment évanouie. Ou alors elle avait fait semblant, mais tout le monde y avait cru : même le maître avait eu peur. Elle était capable de tout, il le savait, et il se demandait si elle n'allait pas recommencer.

— J'attends, Mélina ! Et ce n'est pas la peine

d'appeler Étienne à ton secours, il ne peut rien pour toi !

Et, comme elle ne répondait pas :

— Alors ! Tu te réveilles ?

Mélina s'éclaircit la voix, et, en se jetant à l'eau, lança :

— Plus tard j'aurai le courage de m'en aller loin d'ici !

Les filles éclatèrent de rire, ce qui agaça le maître :

— Ah oui ! Pour aller où ?

« Qu'est-ce qu'elle a encore inventé ? se dit Étienne, accablé, en tournant la tête vers le marronnier de la cour, afin de ne plus apercevoir ce regard de défi que lançait Lina, un sourire à peine esquissé sur ses lèvres.

— N'importe où, dit-elle, mais loin d'ici !

— Et pourquoi, s'il te plaît ?

— Parce que ma mère est paralysée.

Ce silence ! Le maître hésita, soupira, puis il déclara d'une voix qui trahit son exaspération :

— Assieds-toi ! Et à l'avenir tâche d'écouter ce que je dis !

Lina s'assit, étonnée mais ravie d'avoir échappé à la punition qui lui pendait au nez. Elle sourit, ouvrit son cahier, trempa son porte-plume dans l'encrier, se demanda ce que le maître allait décider pour Étienne, toujours debout, les bras croisés.

— Toi aussi va t'asseoir ! Et si je te reprends à souffler, tu auras affaire à moi !

Étienne s'empressa de regagner sa place, non sans jeter un regard furieux à Lina qui fit mine de ne pas comprendre et haussa légèrement les épaules, dans un geste d'innocence bafouée. Il s'assit, s'approcha du dos de Lina, murmura mais assez fort pour qu'elle l'entende :

— Ce soir, tu reviendras toute seule.

La matinée passa sans autre incident. Lina ne fut pas interrogée en histoire, et elle ne fit qu'une faute à la dictée. Étienne, lui, en fit trois, comme souvent, mais le maître sévit seulement contre ceux qui en avaient fait plus de cinq. À la récréation de dix heures, Étienne, en représailles, refusa de s'approcher de la murette qui séparait les deux cours, malgré les signes désespérés que lui adressa Lina de l'autre côté. Ce n'est qu'à midi qu'il y consentit. Alors il posa ses victuailles sur le mur, pour manger comme ils le faisaient tous les jours, quand le temps était clément. Elle sourit en comprenant qu'il avait oublié l'incident du matin.

— C'est tout ce que tu as pris ? demanda-t-il en découvrant le pain, le minuscule morceau de fromage et la pomme qu'elle avait posés devant elle.

— J'ai oublié le poulet.

Il soupira, lui tendit un morceau de saucisse froide qu'elle repoussa en disant :

— J'ai pas faim.

— T'as jamais faim.

Et il ajouta, en guise de vengeance :

— T'es maigre comme un piquet.

Les yeux de Lina se mirent à jeter des éclairs de fureur, elle tremblait intérieurement sous l'affront que deux filles, proches d'eux, avaient entendu. Elles gloussèrent, se poussèrent du coude, s'esclaffèrent, enfin, au point que Lina se tourna vers elles et lança :

— Tout le monde ne peut pas ressembler à une bonbonne !

— C'est pour moi que tu dis ça ? demanda la plus grosse des deux, une brune dont les yeux fulminaient.

— Mais non, intervint Étienne, c'est pour personne.

— Ah ! Bon ! fit la fille.

Étienne secoua la tête en maugréant, tandis que Lina se mettait à manger, lentement, le fromage et le pain. Après avoir avalé une bouchée, elle murmura :

— Je ne suis pas maigre.

— Mais non ! dit-il.

— Tu veux que je te montre mes jambes ? Tu verras que je ne suis pas maigre.

— C'est pas la peine, je les ai vues sur la plage.

— Alors ?

— Elles sont belles, tes jambes, reprit-il.

Puis, songeant à l'incident de la matinée :

— Qu'est-ce que tu es allée lui dire, ce matin ? Tu veux partir où ? T'es pas bien ici ?

— Je suis bien, mais je partirai.

— Et pourquoi ?

— Parce que.

— Parce que quoi ?

— Parce que j'étouffe, ici. C'est trop petit.

Il la dévisagea un long moment, puis :

— Eh bien moi je ne partirai jamais. Je veux rester près du fleuve.

Elle l'observa avec une stupéfaction navrée, ne sachant s'il était sincère ou pas.

— Tu m'emmèneras, et on partira loin d'ici ! répéta-t-elle.

— Non ! répliqua Étienne. Jamais !

Il aperçut deux larmes dans ses yeux, s'en étonna :

— Qu'est-ce qu'il y a ?

Elle ne répondit pas, détourna la tête, s'essuya furtivement les joues, demanda :

— T'as quelque chose à boire ?

Il soupira encore, lui tendit une petite gourde de vin coupé d'eau.

— Non ! Toi d'abord !

Il savait qu'elle aimait boire après lui pour sentir le goût de ses lèvres mais il ne s'en offusqua pas. Pour lui, toute fille était bizarre, et surtout Lina. Qu'est-ce que c'était que cette idée de vouloir quitter la rivière ? Comme si on pouvait être plus heureux ailleurs qu'au sein de cette vallée, dans l'ombre douce des arbres et le murmure de l'eau ! Pour lui, c'était le paradis dont parlait le curé, les jeudis après-midi de catéchisme – qu'il manquait une fois sur deux, il faut bien le dire. Il avait tellement mieux à faire en bas, les jours où il n'y avait pas d'école. Eugène l'emmenait à la pêche sur sa barque pour relever les filets, il lui enseignait les bons coins où se rassemblaient les barbeaux, les brochets et les perches.

— À quoi tu penses ? demanda Lina.

— À Eugène.

— Pourquoi tu me dis ça ? Tu sais bien qu'il me fait peur, Eugène !

— T'as peur de tout, alors !

Elle haussa les épaules, tandis qu'il rangeait dans sa musette les restes de son repas.

— Il répare une barque qu'il a trouvée, reprit-il, et il m'a promis qu'il me la donnerait.

— Tu me laisseras monter avec toi ?

— Je sais pas. On verra.

— On irait dans l'île, en aval.

— Tu veux toujours aller quelque part.

Et il répéta :

— Arrête de courir et de bouger comme ça.

— Je peux pas.

Il la regarda, hocha la tête, sourit. Les yeux ronds et noirs de Lina crépitaient sous ses longs cils, elle savait qu'elle avait gagné, qu'il ne lui ferait plus aucun reproche pour aujourd'hui, et elle n'essaya pas de le retenir quand il passa la lanière de sa musette à l'épaule avant de s'éloigner dans la cour pour se mêler aux jeux des autres garçons. Elle resta là, le dévisagea un moment, puis elle s'éloigna à son tour, pour aller affronter les rares filles qui, comme elle, ne rentraient pas chez elles à midi. Elle n'en avait pas peur. C'étaient les filles qui se méfiaient d'elle. De fait, aucune ne s'approcha.

Lina se dirigea vers le préau, s'assit à même la terre battue, ouvrit les livres qu'elle n'avait pas eu le temps d'ouvrir la veille au soir, et se plongea avec ravissement dans celui de géographie dont il fallait apprendre la leçon pour l'après-midi. Elle oublia tout, où elle se trouvait et les minutes qui passaient, elle rêva à ce que serait sa vie, loin d'ici, elle en était sûre, quand elle aurait largué les amarres fragiles qui la retenaient à cette vallée.

La cloche actionnée par le maître la fit sursauter, en un bond elle fut debout et rejoignit la classe où, souvent, pour Étienne qui était assis derrière elle, elle soulevait ses longs cheveux bouclés afin de dégager ses épaules brunies par le soleil.

2

Aucun des deux n'essuya les reproches du maître au cours de l'après-midi. D'autant que l'après-midi, Lina savait toujours ses leçons qu'elle avait le temps d'apprendre sous le préau pendant la récréation de midi. À cinq heures, Étienne l'attendit sur la place où, par habitude, ils se désaltéraient à la fontaine avant de redescendre.

— Arrête de boire comme ça ! dit-il en la voyant longuement penchée vers le tuyau d'où, entre ses mains réunies, elle recueillait l'eau qu'elle aspirait avec des soupirs d'aise.

Elle se redressa, haussa les épaules sans bien savoir pourquoi, puis, elle devant et lui derrière, ils se mirent à courir comme à l'accoutumée. Le soleil, qui avait depuis longtemps amorcé sa chute, les accompagnait le long des maisons où les vieux étaient assis sur les seuils, rêvant à leur vie passée. Ils basculèrent dans la descente, quittèrent la route et prirent le chemin qui plongeait vers la vallée entre les vignes, et, plus bas, traversait les vergers. Sans même se concerter, ils entrèrent dans la première vigne, cherchèrent la délicieuse grappe de chasselas oubliée dont les grains éclateraient dans leur bouche comme de minuscules soleils.

— J'en ai une ! cria Lina en revenant vers Étienne.

Elle avait déjà croqué deux grains quand elle la lui tendit, pour partager. Face à face, ils picorèrent la grappe blonde avec un sourire satisfait, et, dès qu'ils eurent terminé, elle l'interrogea une nouvelle fois :

— Tu m'emmèneras, dis ?

Il ne répondit pas. Il n'ignorait pas que quand elle avait une idée en tête, il n'était pas possible de l'en détourner. Elle avait besoin de rêver, c'était dans sa nature, ou alors c'était pour échapper au poids de la présence de sa mère paralysée.

— On verra ! dit Étienne. On a le temps.

C'était un début de victoire qu'elle savoura à son prix, persuadée qu'elle saurait toujours se faire comprendre de lui. Elle se demanda ce qu'elle deviendrait s'il n'existait pas. Elle avait conscience de souvent exagérer, mais elle ne pouvait pas s'en empêcher. Elle aimait ses yeux quand il soupirait, donnant l'impression qu'il allait pleurer, mais il ne pleurait jamais. Pourquoi ne pleurait-il pas, Étienne ? Peut-être parce que sa mère n'était pas paralysée. Ou alors parce que les garçons ne savent pas. Elle, non seulement elle savait pleurer, mais elle pouvait aussi faire semblant. Il suffisait qu'elle pense à des choses tristes pour qu'elle fasse naître des larmes dans ses yeux. Pas beaucoup, mais une ou deux, et ça marchait à chaque fois. Surtout avec Étienne. Avec son père ou avec sa mère beaucoup moins, mais avec Étienne chaque fois.

— Tu crois qu'il va pleuvoir ? demanda-t-elle en jetant la grappe nue derrière elle.

— Mais non.

Elle s'élança sans un mot de plus, et il la suivit dans la douce chaleur de l'automne qui teintait le coteau d'une lumière dorée.

— Arrête ! dit-il au bout d'une centaine de mètres, car il avait envie de profiter des rousseurs de la saison et des éclats de l'eau, en bas, au loin, qui scintillait entre les feuilles brûlées par le soleil.

— Ma mère ! dit Lina.

— Quoi, ta mère ?

— Tu sais bien.

— Elle va pas s'envoler, ta mère.

Elle s'arrêta, se retourna, les sourcils froncés, un air dur sur son visage. Elle leva la main sur lui mais elle la rabaissa aussitôt devant son air désolé et murmura :

— Tu ne peux pas savoir ce que c'est.

— Mais si, dit-il, je sais.

Et il se remit à courir en passant devant elle. Tout respirait autour de lui : l'herbe, les taillis, les arbres fruitiers, et pourtant il avait l'impression d'un silence et d'une immense paix. C'était là qu'il était bien, qu'il se sentait vivre, qu'il était heureux, surtout en arrivant en bas, dans les prés où les derniers regains embaumaient dans l'air épais, se mêlant à l'odeur de vase, de boue et de sable du fleuve. Les maïs frissonnaient dans un doux murmure qui ne laissait encore rien présager de leur fin prochaine. Aucun bruit ne troublait la plaine où la drague s'était enfin tue, et pas la moindre voiture n'apparut sur la nationale. Il savait que de toute façon, de l'autre côté du haut talus de la voie ferrée, on n'entendait presque pas le trafic. C'était comme un antre protégé du monde extérieur. Une île qui n'appartenait qu'à lui.

Il traversa la route, passa sous le pont, s'arrêta de l'autre côté, avec un soupir de satisfaction : il était enfin chez lui. Ils demeurèrent un moment immobiles afin de reprendre leur souffle, puis :

— Accompagne-moi un peu, dit Lina.

— J'ai pas le temps.

— Jusqu'à la maison d'Eugène. Après tu retourneras.

— Non ! Pas ce soir.

— Pourquoi ?

— Il faut que tu apprennes.

— Que j'apprenne quoi ?

— À ne plus avoir peur de tout.

— C'est Eugène qui me fait peur.

— Il ne ferait pas de mal à une mouche.

— C'est facile de dire ça. Tu n'es pas une fille.

Il haussa les épaules, ne répondit pas.

— Qu'est-ce qui te presse, ce soir ? reprit-elle.

Il n'osa lui avouer qu'il projetait de relever une nasse qu'il avait posée le jeudi précédent.

— Je lui ai parlé de toi, à Eugène. Il t'aime bien. Tu n'as pas à avoir peur de lui.

— J'y peux rien.

— Mais si. Il faut te forcer un peu. Allez ! À demain !

Il fit un pas vers sa maison dont il apercevait le toit à moins de cent mètres, mais elle le rappela :

— Étienne !

— Quoi ?

— Tu m'attendras demain ?

— Si t'es pas en retard.

Il se mit à courir et ne se retourna plus.

Lina resta un long moment immobile, le temps qu'Étienne disparaisse, là-bas, derrière un bouquet de saules, puis elle soupira et se mit en marche lentement, très lentement, en essayant de faire le moins de bruit possible aux abords de la maison d'Eugène. Elle s'en voulait d'avoir peur de cet homme qui vivait si près de chez elle, mais elle n'y pouvait rien. Le chemin de halage passait entre la maison et la Garonne, mais la cour où séchaient les filets regardait l'eau, si bien qu'Eugène, une fois réveillé, semblait surveiller les allées et venues de tous les riverains. Pour cette raison Lina passait toujours par-derrière, sur l'étroit sentier qui sinuait entre les frondaisons isolant l'antre d'Eugène des prairies et des champs de maïs.

Elle était sur le point de se mettre à courir quand la silhouette massive qui l'effrayait tant apparut devant elle, lui interdisant le passage. À plusieurs reprises déjà, il avait surgi de la sorte, s'amusant de sa peur, mais sans jamais chercher à lui faire du mal. Elle s'arrêta d'un coup, sentant ses jambes fléchir sous elle, mais pourtant prête à bondir dans les taillis s'il faisait un pas dans sa direction.

— Alors, petite ! fit-il.

« Alors quoi ? C'est tout ce qu'ils sont capables de dire, les hommes, songea-t-elle, celui-là comme mon père. On dirait qu'ils ne connaissent que ces quelques mots, toujours les mêmes. »

S'ils savaient à quel point elle les détestait ! Surtout lui, avec ses épaules voûtées, ses longs cheveux bouclés pleins de crasse, sa tête inclinée vers l'avant comme si elle était trop lourde alors qu'elle était vide, Lina en était persuadée. Ses yeux noirs la regardaient par en dessous, ses mains larges semblaient faites pour saisir et ne plus lâcher, sa lèvre inférieure pendait sous le mégot jaune qu'il suçait continuellement.

La colère de se savoir empêchée de passer la fit se redresser et jeter, d'une voix qui ne tremblait pas :

— Alors quoi ?

Il ne répondit pas.

— Qu'est-ce que tu veux ? J'ai pas le temps, je dois aider ma mère !

— Eh bien, passe !

— Pousse-toi !

— Tu as peur de quoi ?

— Pousse-toi ! cria-t-elle.

Et, comme il n'esquissait pas un geste :

— Je le dirai à Étienne !

Un sourire naquit sur les lèvres d'Eugène :

— Je t'empêche pas. Il te suffit d'avancer, et je te laisserai passer.

Elle soupesa cette proposition qui l'emplit d'une rage soudaine, à cause du piège qu'elle pouvait dissimuler. Cette rage la fit s'élancer, balancer sa sacoche au-devant d'elle et frapper le bras d'Eugène qui, surpris, s'écarta suffisamment pour qu'elle puisse se glisser entre lui et les branches entremêlées d'un noisetier et d'un acacia. Elle ne se retourna pas, se remit à courir en l'entendant éclater de rire derrière elle, ce qui décupla sa colère et lui arracha quelques larmes amères. « Un jour je le tuerai, se dit-elle. Je sais où mon père cache son fusil pour tirer les palombes en automne et les canards sauvages en hiver. Parfois, je le soupèse, ce fusil, et après je me sens mieux. »

Elle arriva essoufflée sur le seuil de sa maison dont la porte était ouverte. Elle y entra et découvrit sa mère, comme chaque soir, assise dans son fauteuil, en train de tricoter. Les cheveux gris ramenés en chignon, vêtue de son éternel tablier noir à fleurs bleues, elle inspecta sa fille d'un regard sans indulgence et demanda :

— Qu'est-ce que tu as ?

— Rien, répondit Lina.

— Qu'est-ce qu'il y a, encore ?

Quoi, encore ? Lina en avait assez de se sentir toujours coupable aux yeux de sa mère, alors qu'elle ne cessait de courir pour rentrer plus vite, afin qu'elle reste le moins longtemps possible seule. Mais qu'est-ce qu'ils avaient tous à lui chercher des poux dans la tête ?

— Tu es bien en retard, ce soir.

Lina ne résista pas à la colère qui, de nouveau, s'emparait d'elle.

— C'est à cause d'Eugène, répondit-elle. Il me guette et m'empêche de passer.

Elle avait volontairement jeté cette réponse car elle savait que sa mère détestait le pêcheur.

— Je le dirai à ton père. Il ira s'occuper de lui.

Puis, satisfaite d'avoir écarté ce problème, sa mère désigna de la main une miche de pain posée sur la table.

— Mange un morceau avant d'aller donner le grain aux volailles.

Lina n'avait pas faim, mais elle n'eut pas le cœur de ressortir tout de suite, alors que sa mère était seule depuis le début de l'après-midi, son père rentrant déjeuner à midi. Elle coupa une mince tranche de pain, y répandit un peu de beurre, puis une noix de confiture, et elle se mit à manger, les yeux tournés vers la porte ouverte. Elle se savait inspectée, fouillée, transpercée par ce regard fiévreux et sans cesse inquiet, et elle ne pouvait pas le croiser sans malaise. « Qu'est-ce qu'elle me veut ? se demanda-t-elle. Qu'est-ce que je lui ai fait ? Est-ce qu'elle était comme ça, avant ? Mais non : elle chantait tout le temps. Qu'est-ce qui avait bien pu se passer ? »

Un soir, Lina était rentrée et avait entendu du bruit, en haut dans la chambre, puis son père et le médecin de Montalens étaient descendus, et ils lui avaient appris que la mère avait eu un accident. Les adultes disaient toujours les choses à moitié, sans se rendre compte que ça fait plus de mal que la vérité. Lina, au contraire, disait toujours la vérité, comme à l'école, aujourd'hui, elle s'était régalée à voir la tête du maître à l'instant où elle lui avait révélé pourquoi elle voulait partir. Elle savait comment procéder avec les adultes, même les plus savants, même les plus forts. Et pourtant elle se méfiait des forts, elle savait les reconnaître, elle devinait dans leurs yeux de quoi ils étaient capables, et elle ne s'approchait pas d'eux, sauf si elle y était obligée.

— Si tu as fini, va donner le grain aux poules ! ordonna la mère.

Lina croisa enfin le regard souffrant, mais fugacement, et elle se leva.

— Ne leur en donne pas trop, on n'en a presque plus et ton père n'est pas allé en acheter.

«J'aime pas les poules, songea Lina en sortant. C'est bête, les poules. Elles se font grimper dessus par le coq qui est encore plus bête qu'elles. Chaque fois que je rentre dans le poulailler, il s'approche, menaçant, comme si j'en voulais à ses bonnes femmes. Il est roux, sournois, malfaisant, comme Eugène. Quand il ne se méfie pas, je lui balance un coup de pied, comme ça, pour lui montrer qu'il n'est pas le maître, et que moi je ne me laisserai pas faire. Après je rigole, j'y peux rien, c'est comme ça.»

Elle entra dans le poulailler, répandit le grain, fit demi-tour, s'arrêta.

Ah, oui ! Les œufs, elle allait oublier. Combien aujourd'hui ? Trois ? Quatre ? Cinq ! Elle projeta de faire semblant de ressortir, de laisser le coq s'approcher, et de le châtier comme il le méritait, puis elle y renonça : à la réflexion, il n'en valait pas la peine !

Elle referma la porte grillagée, franchit les vingt mètres qui la séparaient de l'eau, observa un moment les remous de la rive d'en face couverte d'aulnes et de saules. Elle songea vaguement à l'été, aux vacances qui lui laissaient un peu plus de temps libre, et elle soupira à l'idée qu'il se passerait sept mois avant l'arrivée des grands jours lumineux de juin. Puis elle se retourna vers sa maison aux murs de brique rose couverts de lichen à cause de l'humidité de l'eau, respira cette odeur familière qui s'en dégageait par les portes ouvertes de la cave et de la remise : l'odeur de la Garonne, l'odeur de chaque pièce, l'odeur de sa vie. À cause des crues, on n'habitait pas le bas, mais le premier étage, et pourtant parfois l'eau grimpait jusque-là, comme en témoignaient des dépôts sur les briques, à l'angle de deux murs. Elle soupira une nouvelle fois et monta dans la cuisine où le carrelage, jadis d'un jaune et d'un grenat harmonieusement mêlés, avait pâli.

— Tu en as mis, du temps ! lui reprocha sa mère.

Lina haussa les épaules, ne répondit pas, rangea les œufs dans une petite corbeille en osier placée sur le buffet dont les pieds, autrefois, avaient eux aussi souffert des crues, puis elle se mit en devoir de tailler le pain pour la soupe du soir.

— Ne te coupe pas ! dit sa mère.

— Mais non !

Chaque jour, c'était le même refrain : « Ne te coupe pas. Ne te coupe pas. » Et pourquoi elle se couperait alors qu'elle usait de ces gestes depuis des mois ? Lina savait bien que sa mère disait cela comme elle aurait dit autre chose, pour meubler le silence de ses journées, mais ça l'agaçait de plus en plus. Elle songea que si elle se coupait une bonne fois pour toutes, peut-être qu'elle n'entendrait plus cette antienne, et elle faillit s'y décider.

— Là ! C'est assez. Il en reste d'hier.

Lina suspendit sa main, se leva, versa les fines tranches de pain dans la soupière qu'elle alla poser sur le trépied de la cheminée.

— Ne monte pas le feu ! C'est trop tôt !

— Mais non !

— Tu peux aller traire maintenant.

Enfin Lina put s'échapper de la maison et elle retrouva avec plaisir une odeur familière dans l'étable, non pas humide, celle-là, mais sèche et chaude : celle de la paille et de la vache qui, elle au moins, était paisible, sans souci, rassurante. Là, elle se sentait bien, Lina, et si elle avait pu, elle y serait restée toute la soirée. Mais il fallait traire et son père, lui, s'occuperait de la litière quand il rentrerait. C'était entendu comme ça. Tous les jours.

Elle approcha le tabouret, plaça le seau sous les pis, appuya sa tête contre le ventre chaud, tira sur les trayons. D'abord doucement, puis un peu plus fort. Le lait gicla dans le seau, la vache meugla de satisfaction, du moins Lina le pensa, et elle se mit à lui parler, comme chaque soir et chaque matin :

— Tu t'en fous, toi, d'Eugène et du maître d'école. Pourvu que tu manges et que tu dormes, tu es contente. Tu as bien de la chance.

S'il n'y avait eu la chanson du lait coulant dans la cantine, elle se serait endormie. Mais il ne le fallait pas, elle le savait. C'était arrivé une fois et la vache, d'un coup de pied impatient, avait renversé le seau plein de lait. Son père s'en était aperçu et il avait accusé Lina de travailler n'importe comment, de ne pas pouvoir compter sur elle.

Elle se dépêcha de remplir le seau, se leva, s'en fut le poser près du pailler, et, comme chaque soir, elle s'allongea sur le foin, les mains derrière sa tête, les yeux dirigés vers les toiles d'araignées du plafond, en murmurant :

— Mon Dieu ! Si vraiment tu existes, comme le dit le curé, fais que ma mère marche de nouveau. Tu ne peux pas la laisser comme ça. C'est pas normal une chose pareille. Dans mes rêves, je la vois marcher près de moi, quand elle me tenait la main sur la route du village. C'était une main chaude, avec beaucoup de force, et je croyais qu'il ne pouvait rien nous arriver, qu'elle demeurerait comme ça, près de moi, pour toujours. Je donnerais ma vie entière pour retrouver la chaleur de cette main. Je donnerais tout ce que j'ai. Mais c'est vrai que j'ai rien. Et pourquoi tu aurais besoin qu'on te donne quelque chose en échange, alors que tu es infiniment bon, infiniment aimable, et que tu aimes tous tes enfants ?

Dans la pensée confuse qu'il faudrait demander des précisions au curé, elle s'endormit dans un soupir de délivrance heureuse.

Eugène, le pêcheur, mangeait des gardons frits, ce même soir, assis à sa table encombrée de reliefs de repas anciens, de morceaux de vieux pain, de verres et d'assiettes qu'il ne lavait qu'une fois par semaine. Il souriait d'un bonheur un peu fat, mais dont il se satisfaisait pleinement. Cette liberté qu'il avait conquise de haute lutte à vingt et un ans, au retour du service militaire, personne ne la lui prendrait. Lui, l'homme libre, qui était né là, avait à peine fréquenté l'école, il avait connu les ordres, les chambrées, la promiscuité, les corvées, la domination des gradés, et il s'était juré de ne jamais plus accepter ça.

Une fois libéré des obligations militaires, il était rentré chez lui, avait recommencé à aider son père dans les champs, puis, dès que l'auteur de ses jours avait disparu, il avait vendu les quelques terres qu'ils possédaient et n'avait plus vécu que sur la rivière et par la rivière, gardant toutefois sa vieille mère auprès de lui jusqu'à sa mort. Aujourd'hui, à cinquante ans, il vivait seul et libre, ce qu'il avait toujours souhaité, et il ne craignait personne, pas même les gendarmes qui essayaient de le surprendre du fait qu'il ne payait jamais l'allocation du lot de pêche qui était censé lui appartenir.

Il ne supportait pas l'idée d'être obligé de payer pour pêcher. Il considérait que les rives étaient à lui, et la Garonne aussi. De son point de vue, il n'y avait que les riverains pour bien connaître le fleuve et le défendre comme il méritait de l'être. C'était leur domaine, il n'appartenait qu'à eux, c'est-à-dire à ceux qui vivaient là, dans les trois maisons. Et qui continueraient à vivre là, quoi qu'il arrive. Il en était persuadé. C'est pour cette raison qu'il avait promis une barque à Étienne, et qu'il tiendrait sa promesse... Et puis il y avait la petite.

C'est ainsi qu'il appelait Lina : la petite. Il l'aimait beaucoup et il se désolait de devoir lui faire peur. Mais c'était dans son intérêt qu'il lui faisait peur. Il voulait qu'elle apprenne à se défendre, qu'elle ne succombe pas au premier venu qui l'emporterait loin d'ici. Ce qui le rendait heureux, Eugène, c'était de les voir ensemble, Étienne et la petite, et de se dire qu'un jour ils vivraient dans l'une des trois maisons du fleuve. Alors il lui faisait peur volontairement : il voulait qu'elle sache se battre, qu'elle soit capable de résister, et c'était un peu comme si elle était la fille qu'il n'avait jamais eue et qu'il n'aurait jamais.

Il ne s'était pas marié, Eugène. Du temps de son père et de sa mère, il avait fréquenté une ou deux jeunes filles de la vallée, mais aucune n'avait voulu venir s'installer près du fleuve. Il ne le regrettait pas : s'il avait une femme près de lui aujourd'hui, il devrait lui rendre des comptes au sujet de ce qu'il faisait ou de ce qu'il ne faisait pas, sur ce qu'il aimait ou ce qu'il n'aimait pas, sur ce qu'il pêchait ou ne pêchait pas, et comment il s'habillait, et à quelle heure il mangeait, à quelle heure il se levait, à quelle heure il se couchait, et pourquoi. Tandis que là, seul au monde, libre comme l'air, il ne faisait que ce qu'il décidait et quand il le souhaitait.

Les femmes, il en avait assez connu, plus jeune, dans les îles, en aval, l'été, sur les plages de sable. Il se souvenait de leur peau chaude quand elles s'allongeaient, essoufflées d'avoir couru pour s'échapper, et qu'il les renversait entre les genêts, tremblantes comme des tiges d'osier. Après, plus tard, il en visitait une, la nuit, dont le mari, routier, était souvent absent, et qui habitait le long du fleuve, trois kilomètres en amont. Il partait par le chemin de rive, et il revenait dans l'eau à la belle saison, en se laissant porter, dans l'ombre douce de la nuit, saoul de caresses et de fatigue. Il lui était arrivé plusieurs fois de se laisser glisser au fond, et de se dire qu'il fallait mourir là, que jamais, plus jamais, il ne connaîtrait cette ivresse, ce bonheur de sentir son corps chaud vibrer dans les bras de l'eau qui lui semblaient encore ceux qu'il venait de quitter.

Aujourd'hui, c'était fini. La seule qui l'intéressait, c'était la petite, mais il ne la toucherait jamais. Au contraire, il la protégeait comme la protégeait Étienne, il l'aidait à grandir et il souffrait de devoir lui faire peur. Mais quand il voyait ses yeux étinceler de colère, quand elle détalait sur ses jambes brunes, il se sentait rassuré. Encore un peu de patience, et elle saurait faire face à tous les dangers. Quant à Étienne, il n'avait pas à lui apprendre quoi que ce soit. C'était un enfant du fleuve et il ne le quitterait jamais.

Eugène se leva, s'en fut jeter au chat, dehors, les arêtes des gardons, puis il sortit un morceau de fromage du garde-manger accroché au plafond, s'assit de nouveau, coupa du pain, se versa un verre de vin, et se remit à manger en rêvant à sa vie passée. Notamment à cette enfance lumineuse et sacrée où, bien avant l'aube, son père le réveillait pour aller relever les filets dans les murmures de l'eau, les frissons d'argent des poissons, et puis la lueur rose qui naissait au-dessus des collines, débordait, se répandait sur la vallée au sein de cette paix des petits matins blancs de rosée, de la caresse quasiment silencieuse de la rame, des frémissements du sac de jute où l'on enfermait les poissons, et puis c'était la maison, enfin, où la mère attendait, ayant préparé un café dont il n'avait jamais retrouvé l'incomparable saveur. Comment aurait-il pu abandonner ces trésors ? À douze ans il avait quitté l'école et s'était mis à travailler avec son père, dans les champs et sur l'eau.

C'était un homme de silence, son père. Il ne prononçait pas trois mots durant une journée. Sa femme parlait assez pour lui. Il ne s'en plaignait pas. Il avait seulement commencé à parler un peu à l'approche de sa mort. Quelques petits murmures, quelques petits secrets. Et quand il avait senti qu'elle allait le prendre, il était allé se noyer. On l'avait retrouvé trois kilomètres en aval, bien au-delà des îles. Eugène se disait que s'il était averti de sa mort, il ferait comme son père. Il connaissait le gouffre de l'ancienne drague où la profondeur atteignait quinze mètres. Il y plongeait les soirs d'été, quand l'eau était trop chaude en surface. Il allait s'y blottir et il fermait les yeux. Il songeait alors qu'il se trouvait dans le ventre de sa mère et il se laissait bercer. Il savait qu'un jour il s'y endormirait et ne remonterait pas.

Étienne s'assit en face de son père pour le repas du soir. Sa mère restait debout pour les servir, comme à son habitude, allant et venant de la cheminée à la table couverte d'une toile cirée rouge si ancienne qu'à cause de la chaleur des plats elle s'était quasiment fondue dans le bois. S'il ressemblait à son père, Étienne, il ne tremblait pas comme lui. À force de manœuvrer l'énorme godet d'acier et les filins qui le portaient, les mains et les bras de son père semblaient agités d'imperceptibles frémissements qu'il ne contrôlait plus. Personne n'osait en faire la remarque, même quand le repas durait, comme ce soir : après la soupe, l'omelette, la salade, le fromage. Mais depuis le début Étienne sentait peser sur lui le regard qui ne cillait jamais, et il s'inquiétait de ce silence hostile, qui, il ne l'ignorait pas, allait se rompre d'un coup, sous la colère accumulée. Il avait vu les poissons, son père, à son retour du travail. Il savait qu'Étienne était allé sur la rivière au lieu d'aider sa mère et de faire ses devoirs. Et la question tomba comme la foudre, au moment même où Étienne pensait qu'il allait peut-être y échapper :

— Tu as fait tes devoirs et appris tes leçons ?

— Oui.

— Quand ?

— En rentrant, à cinq heures et demie.

— Et les poissons, d'où viennent-ils ?

— Je suis allé relever une nasse. Juste à la pointe de l'île. Il ne m'a pas fallu longtemps.

Le silence retomba, mais la mère avait compris, comme Étienne, que ce soir le père avait décidé de crever un abcès, et elle tenta de s'interposer en disant :

— C'est vrai. Il était là quand je suis revenue.

Le regard du père se posa sur elle mais le sourire qu'elle esquissa ne fit que l'exaspérer. Il se leva brusquement et cria :

— Tu as vu mes bras ? Tu as vu mes mains ?

Et, comme Étienne gardait la tête baissée :

— Tu veux faire comme moi, plus tard ? Monter dans cette cabine et actionner ces filins d'acier à longueur de journée ? Même ma tête en tremble aujourd'hui ! C'est ça que tu veux ?

— Non ! répondit Étienne d'une faible voix. Ce que je veux, c'est devenir pêcheur.

— Comme l'autre, là-bas, ce bohémien, ce bon à rien ! Je t'ai déjà interdit d'aller le voir !

Comment échapper à cet orage qui rôdait depuis plusieurs jours ? Étienne sentit qu'il ne pouvait pas insister sans provoquer un drame dont sa mère, en prenant sa défense comme à son habitude, allait faire les frais.

— Tu crois qu'on peut vivre, comme ça, en vendant quelques poissons ?

Étienne se dit qu'il fallait surtout ne pas répliquer, et faire profil bas. Ça n'arrivait pas souvent, mais quand ses colères débordaient, son père devenait comme fou. Étienne s'en désolait, mais il n'y pouvait rien, lui, si l'auteur de ses jours était obligé de monter dans cette cabine. Il y avait d'autres métiers que celui-là. Qui l'avait obligé à travailler à la drague ? Ce n'était pas son fils, ni sa femme. De désespoir Étienne se disait souvent que, s'il l'avait pu, il l'aurait fait sauter, cette drague qui, de surcroît, dérangeait le poisson sur un kilomètre à cause des chocs de l'acier heurtant le lit du fleuve.

— Moi, j'ai pas pu aller à l'école, reprit le père. Tu comprends, ça ? J'ai pas pu, alors que toi, tu as cette chance !

Il fit le tour de la table, secoua violemment l'épaule droite de son fils, répéta :

— Tu comprends ? Est-ce que tu comprends ce que je te dis ?

— Mais oui ! dit Étienne en relevant la tête.

— Alors ?

— J'ai fait mes devoirs. Ils sont là.

Il sortit un cahier de sa sacoche, le feuilleta, montra une page écrite sans la moindre tache ni rature. Ce constat parut faire tomber la colère du père qui soupira et revint du côté de la table où il s'assit de nouveau. Il se mit alors à parler d'une voix monocorde :

— On était huit, et j'étais l'aîné. J'ai même pas le certificat, ils m'ont retiré de l'école à onze ans. Je suis devenu apprenti mécanicien sans être payé, mais au moins j'étais nourri à midi et le soir. À seize ans, les cimentiers m'ont embauché, j'ai pas eu le choix. C'est ça que tu veux ?

— Non ! fit Étienne.

Et il se garda bien de répéter que son seul désir était de vivre sur le fleuve, de ne jamais le quitter.

— Alors, écoute ce que je te dis ! fit son père, mais un ton plus bas, et il se tassa sur sa chaise, comme si sa colère l'avait épuisé.

Un grand silence tomba, que la mère s'efforça de meubler en portant la salade sur la table et en déclarant :

— J'ai acheté des côtelettes de porc pour demain. Je les ferai avec des haricots blancs.

Le regard du père se posa sur elle mais il parut ne pas la voir. Il était entré en lui-même et semblait souffrir. Étienne, lui, sentait un immense chagrin l'envahir en se demandant comment il allait pouvoir se soustraire à cette volonté manifestée par son père d'un destin meilleur pour lui, son fils, une volonté qui n'était que le fruit d'un amour silencieux et terrible. Comment trouverait-il le courage de s'opposer à cet homme dont les bras tremblaient continuellement sans qu'il y puisse rien, à quarante-deux ans ? « Si seulement je trouvais le moyen de le faire descendre définitivement de cette maudite cabine ! » pensa-t-il. Mais pour y parvenir il aurait fallu partir en ville, Agen, Montauban ou Toulouse, et il ne s'en sentait pas la force. Il désirait rester dans la vallée toute sa vie.

C'est à peine s'il s'entendit murmurer :

— On pourrait s'en aller à Montauban ou à Toulouse. Il doit y avoir du travail là-bas.

Le regard de son père le délivra de cette sensation de culpabilité qui l'avait envahi dès les premiers éclats de voix. La mère, elle, passa une main affectueuse dans les cheveux de son fils, s'assit enfin à côté de lui, essuya une larme furtive mais ne prononça pas un mot.

— Travaille à l'école ! lança enfin son père. C'est tout ce que je te demande. Pour le reste, je m'en occupe !

Étienne hocha la tête, mâcha une amère bouchée de pain et de fromage mais ne parvint pas à l'avaler. Dans le silence du soir, par la porte restée ouverte, il écouta la Garonne glisser le long des rives, dans une fabuleuse caresse de soie interminablement déployée.

3

Le fleuve roulait des flots tumultueux depuis plusieurs jours. L'automne avait passé sans la moindre crue, l'hiver avait été sec et froid, mais les pluies de printemps avaient débuté à la fin du mois d'avril, et elles ne cessaient pas, au grand désespoir de Lina qui, le matin, hésitait à laisser sa mère seule en partant à l'école. Étienne la rassurait de son mieux, mais il fallait qu'il l'exhorte à le suivre, ce à quoi il était parvenu jusqu'à ce matin-là, où, dès qu'elle fut levée, Lina s'approcha de l'eau devenue boueuse – une eau qui atteignait presque le niveau de la berge. Elle faisait un bruit de soufflet de forge et charriait des branches arrachées aux rives, dans une sorte de colère aussi redoutable, pour Lina, qu'incompréhensible.

Elle décida d'aller jusqu'au petit pont de la voie ferrée, et d'annoncer à Étienne qu'elle n'irait pas à l'école aujourd'hui. « On ne sait jamais ce qui peut se passer, songea-t-elle. Ou alors, si j'y vais, je redescendrai à midi. Tant pis si je n'ai pas le temps de manger. De toute façon, si je redescends, je suis sûre qu'il me suivra. Il râlera, mais il me suivra. On ne sera pas trop de deux pour monter ma mère au deuxième étage. »

Elle savait qu'elle ne pouvait pas compter sur son père, qui n'avait pas l'autorisation de quitter le chantier. Et d'ailleurs il s'en moquait du fleuve et de ses colères. Il était ailleurs, son père. Elle se demandait même s'il s'apercevait de son existence, certains jours. Il avait renoncé à tout, à sa femme comme à sa fille. Il ne pouvait plus rien pour elles, et Lina ne l'ignorait pas.

Elle fit demi-tour, se dirigea vers la maison où elle entra pour prendre son sac, et dit, comme sa mère l'interrogeait du regard :

— Ne t'inquiète pas. Je reviendrai à midi avec Étienne. S'il y a du danger, on te montera au-dessus.

— Il pleut toujours ?

— Oui. Mais on dirait que ça va s'arrêter.

Sur ces quelques mots qui se voulaient rassurants, Lina partit et se mit à courir, protégée par un capuchon de toile noire, vers la voie ferrée où, comme à son habitude, Étienne l'attendait.

— S'il pleut toujours à midi, dit-elle dès qu'elle l'eut rejoint, je redescendrai. Tant pis pour l'école.

— Tu te rappelles qu'on est à deux mois du certificat ?

— Oui, je sais, répliqua-t-elle avec de l'agressivité dans la voix. Mais je ne veux pas laisser ma mère seule.

— Il n'y a pas de danger, reprit-il. L'eau n'atteint même pas le chemin de halage.

— Tu ne vois pas comme ça tombe ?

— Mon père m'a dit que ça allait s'arrêter dans l'après-midi.

— Ça m'est égal. Je redescendrai à midi.

Il s'élança derrière elle sur le chemin raviné par la pluie, et ils coururent jusqu'à l'école où, pendant toute la matinée, Lina garda la tête tournée vers la fenêtre pour regarder tomber la pluie, ce qui lui valut d'échapper de justesse à une punition.

— À deux mois du certificat, tu passes ton temps à regarder dehors ! tonna le maître.

— Le fleuve est monté, monsieur, répondit-elle, et ma mère est seule.

Elle avait le don de désamorcer les colères du maître. Il haussa les épaules, soupira, mais ne mit pas en application sa menace de l'envoyer au tableau commenter la leçon qu'elle n'avait pas écoutée, et dont elle aurait été bien incapable de dire un mot.

À midi, Étienne voulut la retenir, mais elle refusa et repartit vers la vallée sans même se retourner, sachant très bien qu'il la suivrait. Ce qu'il fit, l'accablant de reproches en courant derrière elle, marmonnant des injures, mais le plus bas possible pour qu'elle n'entende pas.

Une fois en bas, il la rejoignit au bord du fleuve

qu'elle désigna de la main avec une sorte de sanglot étouffé :

— Il a encore monté.

— Mais non ! fit-il. Il n'a pas bougé d'un centimètre.

— Je te dis que si !

Il avait bien vu que l'eau avait monté, mais il ne voulait pas l'alarmer davantage. Il pensait à l'école, au certificat qui approchait, et que, comme lui, mais pas pour les mêmes raisons, elle voulait absolument réussir. Après, ils avaient envisagé de suivre une année de cours supérieur puis de passer le concours des bourses pour entrer à l'EPS. Lui, pour faire plaisir à son père – quoique persuadé qu'il reviendrait près du fleuve une fois majeur –, elle pour quitter ces lieux, obliger ses parents à partir en ville, car elle espérait que ses succès à l'école les convaincraient de changer de vie. C'était un rêve, mais il lui permettait de vivre dans l'espoir de partir, de s'éloigner définitivement de ces rives où seuls les étés lui accordaient un peu de cette liberté qu'elle aimait tant.

Ils rentrèrent dans la maison de Lina et mangèrent leurs provisions sous l'œil inquisiteur de la mère qui reprocha à sa fille d'être redescendue pour rien.

— La pluie va s'arrêter, dit-elle. Et de toute façon, ce soir ton père va rentrer de bonne heure. Il me l'a dit : il travaille tout près, à deux kilomètres, sur la nationale.

Et, comme Lina ne répondait pas :
— Tu vas me faire le plaisir de repartir à l'école.
— Non ! Pas cet après-midi ! Demain seulement, s'il ne pleut plus.
— Dis-lui, toi ! fit la mère en s'adressant à Étienne. L'eau ne va pas monter de plus d'un mètre en trois heures, tout de même !
— Je le lui ai déjà dit, soupira Étienne.
— Il pleut toujours, observa Lina.
Et, butée, ne sachant comment exprimer son angoisse des crues qu'elle avait connues toute petite :
— Tu me rapporteras les leçons et les devoirs. Je me serai avancée cet après-midi, et j'aurai le temps de les apprendre ce soir.
Étienne n'insista pas. Il savait que rien n'aurait pu la faire changer d'avis.
— Tu expliqueras au maître, reprit Lina. Je ne veux pas la laisser seule. Il comprendra.
La mère, touchée par l'attention manifestée par sa fille, n'intervint plus. Étienne repartit dès qu'il eut fini de manger, en promettant de revenir après cinq heures. Lina l'accompagna un peu sur le chemin, puis elle retourna sur ses pas, non sans longer le fleuve qui charriait toutes sortes de branches et de détritus arrachés aux rives. Elle s'arrêta sous un platane, protégée à la fois par les feuilles et par sa capuche, observa un long moment cette eau maudite qu'elle détestait quand elle entrait en furie.

Elle se souvenait d'une nuit – elle devait avoir trois ou quatre ans – où son père avait surgi dans sa chambre en criant, car l'eau avait atteint l'étage. Il l'avait emportée au deuxième, où sa mère attendait déjà, et elle l'avait gardée dans ses bras jusqu'au matin. Alors Lina s'était approchée de la fenêtre et elle n'avait vu que de l'eau, de l'eau, et encore de l'eau autour de la maison. C'étaient les pompiers qui étaient venus les chercher en barque à la fin de la matinée. Lina avait eu froid et peur, elle ne savait plus où elle se trouvait et ce qui allait se passer. C'était depuis ce jour qu'elle s'était juré de quitter la vallée, de fuir cette maudite Garonne. Et personne ne pourrait la retenir. Personne ! Ni son père ni sa mère !

— Alors, petite ? fit une voix dans le dos de Lina, qui sursauta.

Et, comme elle s'apprêtait à détaler, Eugène leva une main, comme pour l'arrêter.

— N'aie pas peur ! dit-il. La pluie va cesser.

— Comment tu le sais ? fit-elle d'une voix agressive.

— Je le sais, répondit Eugène, très calme, souriant.

Et il ajouta, montrant les racines d'un arbre :

— Elle va monter encore jusque-là, mais dès demain elle redescendra.

— Comment tu peux en être sûr ?

Eugène haussa les épaules, reprit, de la même voix paisible et assurée :

— Je la connais bien. Ne t'inquiète pas.

Il fallait se méfier de cette voix enjôleuse et rassurante. Elle se demanda ce qui lui arrivait, aujourd'hui, à ce bon à rien, pour être si aimable, et elle se dit qu'il ne fallait surtout pas le laisser s'approcher.

— Je rentre, dit Lina en esquissant un pas.

— Eh bien, rentre ! Mais si tu as besoin de quelque chose, viens me chercher.

« Il sait que j'ai autant peur de lui que de la Garonne, songea-t-elle, et il en profite. Il va encore m'empêcher de passer. S'il s'approche, je me jette à l'eau. »

Eugène fit demi-tour et s'en alla, la laissant décontenancée, se posant mille questions sur cet homme qu'elle découvrait pour la première fois sous un aspect presque protecteur, mais pas moins inquiétant. Elle le regarda s'éloigner, rassurée malgré elle par cette présence à proximité de sa maison, dans laquelle elle se réfugia avec l'étrange sensation de n'être plus seule pour faire face aux menaces qui rôdaient autour d'elle.

Effectivement, la pluie s'arrêta dans la soirée, et dès le lendemain le fleuve se remit à baisser pour retrouver un cours normal huit jours plus tard. Le printemps explosa sur les arbres, et les premières chaleurs envahirent la vallée, faisant déjà agréablement songer à l'été. Mais avant l'été – et Lina, comme Étienne, ne cessait d'y penser –, il y avait le certificat qui se dressait devant eux comme un obstacle redoutable. Elle avait assez de facilités pour l'obtenir, mais le manque de temps la contrariait dans son désir d'apprendre les matières sur lesquelles elle serait interrogée, principalement l'histoire et la géographie. Étienne disposait de davantage de temps, mais il apprenait avec beaucoup plus de difficultés qu'elle. Et le maître le savait, qui le faisait venir constamment au tableau et le houspillait quand il faisait plus de cinq fautes à la dictée ou ne parvenait pas à résoudre un problème. Il traînait les pieds, mais il luttait quand même, essentiellement pour son père qui avait reporté sur lui ses espoirs en une vie meilleure.

Étienne avait l'impression que s'il réussissait son père ne tremblerait plus. Quand il le voyait, le soir, épuisé, en face de lui, il aurait voulu le serrer dans ses bras pour l'en empêcher. Il lui semblait qu'il aurait pu y parvenir. Mais comment un garçon pouvait-il prendre son père dans ses bras ? C'était impossible. Et pourtant, Étienne n'en pouvait plus de le voir trembler, au point que sa cuillère, parfois, manquait sa bouche, et qu'il renversait un peu de soupe. Étienne avait entendu un jour sa mère parler à une femme du village de la maladie de Parkinson. Or il savait bien que ce n'était pas de cette maladie qu'il souffrait, son père, mais de son travail, perché là-haut, à manipuler des commandes qui vibraient continuellement, secouaient ses bras et son cœur. Étienne faisait tout ce qu'il pouvait pour lui, notamment en travaillant du mieux possible à l'école, mais était-ce suffisant pour le guérir de ses maux ?

Ce jeudi-là, il décida d'aller chercher son père à la sortie de son travail. Et pourtant il la détestait, cette drague qui creusait, blessait, mutilait le fleuve. Il rêvait de la faire sauter. Il lui suffirait de trouver des explosifs, et il savait où il y en avait. Enfin, c'était plutôt Eugène qui le savait, parce que quelquefois, la nuit, quand les filets ne rendaient pas assez, il pêchait à la grenade, et il n'avait plus qu'à recueillir les poissons qui flottaient le ventre en l'air. Il n'aimait pas ça, Eugène, mais de temps en temps il y était obligé pour satisfaire les commandes des restaurants de la vallée. Oui, Étienne l'aurait bien fait sauter, cette drague, et son père aurait enfin cessé de trembler, il en était persuadé.

— Qu'est-ce que tu fais là ? demanda l'auteur de ses jours en surgissant devant lui, le tirant de sa rêverie.

— Rien ! bredouilla-t-il. J'étais tout près, alors je suis venu te chercher.

— Et tes devoirs ?

— On est jeudi. J'ai eu le temps de les faire depuis ce matin.

Son père s'arrêta devant lui, hésita, puis l'interrogea, d'une voix plus douce :

— Et ce certificat, comment ça se présente ?

— Bien. Enfin, je veux dire… je crois.

— J'espère ! Je vais aller voir monsieur Darnis, un de ces jours.

— C'est pas la peine ! fit Étienne, affolé à la perspective d'une entrevue de son père avec le maître d'école.

— Pourquoi ? Je veux savoir si tu travailles assez, ou si tu passes ton temps à la pêche.

— Je travaille, assura Étienne.

— Il le faut, petit !

Et, se tournant vers la drague, dont ils apercevaient le godet d'acier entre des platanes :

— Tu te vois monter là-haut toute ta vie ?

— Non.

— Bon ! Je préfère ça.

Après un soupir, le père passa une main rapide dans les cheveux de son fils, et le prit par l'épaule en ajoutant :

— Viens ! Ça va être l'heure de la soupe.

Tout en marchant, Étienne fit en sorte de se dégager, car il sentait le bras trembler, et son père s'en aperçut. Il ne dit rien, mais si Étienne l'avait observé à ce moment-là, il aurait lu sur son visage plus que de la contrariété : une sorte de détresse infinie.

— On se croirait presque en été, dit Étienne

pour faire oublier à son père cet écart qu'il regrettait.

Son père ne répondit pas. Il était tout entier entré dans les regrets de sa vie décidée d'avance, qu'un destin implacable avait refermée sur elle-même, sans le moindre horizon. Et pourtant, lui aussi aimait la vallée, ses prairies, ses maïs et ses tabacs, le calme de ses soirées d'été, la douceur de ses automnes, quand il descendait de son perchoir et que le silence, soudain, rendait les rives à leur vraie nature, celle d'un monde que les machines des hommes n'auraient jamais souillé. Et cependant, ces machines, les transporteurs, la cimenterie le faisaient vivre, lui, Jean Combanel, et sa famille avec lui. Alors ? Que faire ? Comment leur échapper, alors que la crise économique de ce début des années trente mettait l'emploi en péril, qu'on commençait à craindre le chômage, comme là-bas, si loin, dans ces Amériques où, disait-on, tout allait très mal et les entreprises fermaient les unes après les autres ?

Quand il avait trouvé cet emploi il en avait été heureux, mais jamais il n'aurait pensé l'exercer encore, vingt ans plus tard : il avait espéré acheter un camion et transporter lui-même le sable et le gravier vers les villes et les villages le long de la vallée. Au lieu de cette liberté, il se sentait rivé, attaché aux commandes de la drague comme un animal à une noria, et il ne songeait plus qu'à une seule chose : que son fils échappe à un pareil destin. Et qu'il échappe également à celui de son épouse : Madeleine, qui devait travailler dans les champs pour apporter des ressources supplémentaires au foyer.

Sentir Étienne marcher près de lui, ce soir-là, faisait du bien à Jean Combanel. Il retrouvait en lui sa jeunesse, son corps libre et sain, si différent de celui qui tremblait aujourd'hui, il se revoyait au même âge, responsable de ses frères et sœurs, déjà, mais si confiant dans l'avenir. Il saisit Étienne par le bras, le força à lui faire face et lui dit :

— Si tu as le certificat, je t'achèterai une bicyclette.

— Merci ! dit Étienne. Mais je peux aller à pied, tu sais.

Comment lui avouer qu'il rêvait d'une barque et non pas d'un vélo ? Qu'il envisageait sa vie sur l'eau et non pas sur terre ? Il y renonça, remercia une nouvelle fois, et il hâta le pas car il se sentait coupable, une fois de plus, devant ce père si autoritaire et si fragile à la fois.

— Et si tu as le certificat, reprit ce dernier, monsieur Darnis est d'accord pour une année de cours supérieur ?

— Oui.

Étienne se tut un instant, puis ajouta en essayant d'en plaisanter :

— Mais il a dit : le certificat d'abord.

— Il a raison. Chaque chose en son temps. De toute façon, je vais aller lui parler.

— C'est pas la peine. Je te l'ai déjà dit.

Et, comme son père paraissait contrarié :

— Attends les résultats. Ça sert à rien avant.

— Tu as raison, concéda le père, mais je veux te voir étudier tous les soirs.

— C'est ce que je fais.

Ils étaient sur le point d'arriver quand Jean Combanel arrêta de nouveau son fils par l'épaule et dit, plantant son regard brillant d'émotion et d'espoir contenus :

— Tu réussiras. Promets-le-moi !

Étienne avala sa salive, s'efforça de ne pas fuir le regard qui le retenait prisonnier, puis il répondit d'une voix la plus assurée possible :

— Je te le promets.

Il avait été vite là, ce jour tant redouté de la fin juin. Malgré une mauvaise note en mathématiques et deux fautes et demie en dictée, Étienne avait été reçu grâce à l'histoire, la géographie et la récitation qu'il avait étudiées, les derniers jours, en compagnie de Lina, le soir, après l'école, retenus qu'ils étaient par le maître soucieux de sa réputation auprès de l'inspecteur. Lina, elle, avait été reçue première du canton, ce qui lui avait valu un retour triomphal non seulement au village, mais aussi en bas, près du fleuve, où le maître avait tenu à la raccompagner. Le père et la mère de Lina avaient été très fiers de cette visite à laquelle ils ne s'attendaient pas, autant que les parents d'Étienne, chez lesquels le maître avait fini la journée, invité au repas du soir par le père qui avait dit à son fils :

— Va chercher Lina, qu'on fête ça avec elle !

Étienne y était allé de mauvaise grâce, car il savait devoir souffrir de la comparaison avec Lina, et, surtout, la perspective d'un repas avec son maître d'école et son père laissait présager une discussion sur son avenir, des recommandations pour la classe de cours supérieur, une litanie de conseils, de prédictions auxquels il se sentirait étranger. Comme il le redoutait, ce fut le cas, et le repas s'éternisa, la discussion entre le maître et Jean Combanel dérivant bientôt vers la politique, du fait qu'ils partageaient les mêmes idées.

« Qu'est-ce que j'en ai à faire, moi, du cours supérieur ? » songeait Étienne. Maintenant, c'étaient les vacances, et la seule chose qui l'intéressait, c'était la barque promise par Eugène. Il allait pouvoir en profiter. Au moins pendant trois semaines, avant d'aller dans les vergers ramasser les prunes. Ramasser des prunes pour des prunes : jamais cette expression n'avait été aussi justifiée. Et ce n'était pas avec les quelques francs que les propriétaires lui donnaient qu'il allait faire fortune. Mais après tout il aurait été bien embarrassé de faire fortune. Sauf qu'il aurait tout donné à ses parents, et que son père serait enfin descendu de son engin de malheur…

Sur un dernier pronostic favorable de l'instituteur au sujet des chances de succès de ses deux futurs élèves à la classe de cours supérieur, la mère d'Étienne lui demanda de raccompagner Lina chez elle. Il ne se le fit pas dire deux fois. Saluant rapidement le maître, il entraîna Lina dans la nuit qui tombait doucement dans un délicieux parfum d'herbe coupée mêlé à celui du limon du fleuve.

— Quelle corvée ! fit Étienne, dès qu'ils se furent éloignés.

— C'est une corvée de me reconduire ?

— Mais non ! Tu sais bien de quoi je parle : deux heures à les écouter parler de notre avenir ! Comme si on pouvait savoir ce qui va se passer !

— Moi, je le sais, fit Lina.

— Ah oui ?

— On sera reçus à l'examen des bourses, et on ira jusqu'au brevet supérieur.

— Pour quoi faire ?

— On deviendra maître et maîtresse d'école tous les deux.

— Certainement pas.

Elle lui prit le bras, le força à lui faire face.

— On ira à Toulouse.

Et, comme il cherchait à se dégager :

— Faut pas rester là, Étienne.

Agacé, comme à chaque fois qu'il était question de quitter la vallée, il éluda le sujet et déclara :

— En attendant, c'est les vacances, et on va

pouvoir en profiter dès demain. Eugène m'a promis une barque et il tiendra parole.

Lina s'arrêta, les yeux brillants :

— Une barque ? Demain ?

— Oui, demain.

— Tu vas m'emmener, dis ?

— Mais oui.

— Dans l'île ?

— Oui.

— Et on y sera seuls ?

— Tu sais bien qu'il n'y a personne, à part quelques estivants qui font du canoë. Mais ils ne s'y arrêtent pas. Ou alors pas longtemps.

— Merci !

Elle se hissa sur la pointe des pieds, et l'embrassa furtivement sur la joue. Il fit comme s'il ne s'était rien passé, l'écarta du bras, se remit en marche jusqu'à ce qu'une lourde silhouette apparaisse devant eux.

— Alors les amoureux ? lança Eugène.

Malgré la présence d'Étienne à ses côtés, Lina tressaillit.

— Qu'est-ce que c'est que tout ce chahut, aujourd'hui ? demanda Eugène.

— On est reçus tous les deux au certificat ! s'exclama Lina, non sans une once de provocation dans la voix.

— Lina première du canton, précisa Étienne.

— C'est bien, ça ! fit Eugène, mais sans conviction.

Et, comme si ce succès mettait en péril les projets secrets qu'il nourrissait pour la fille et le garçon auxquels il s'était attaché :

— J'ai calfaté la barque. Elle est prête. Tu peux la prendre demain, comme prévu.

— Merci ! dit Étienne.

— Et toi, petite, tu dis rien ?

— C'est à Étienne que tu la donnes.

— Il m'a dit qu'il t'avait promis de t'emmener dans l'île.

« Qu'est-ce qu'il lui a raconté là ? s'indigna intérieurement Lina. C'était un secret entre nous. Comme s'il avait besoin de lui faire des confidences, à ce bon à rien ! »

— Je sais pas si je pourrai le suivre, dit-elle.

— Mais si, tu pourras, dit Étienne. Qu'est-ce qui te prend ?

« Il lui prenait » seulement que ces secrets leur appartenaient et qu'Étienne n'avait pas à les révéler à qui que ce soit. Surtout pas à Eugène qui s'amusait à lui faire peur.

— Elle prend encore un peu d'eau, reprit ce dernier, mais quand elle aura gonflé tout à fait, elle deviendra bien étanche. Il faudra que tu en laisses toujours un peu au fond.

— Oui, je sais, s'impatienta Étienne. Je t'ai vu faire.

— À quelle heure tu veux la prendre ? Je te donnerai aussi une rame.

— En début d'après-midi.

— Viens ! dit Lina en tirant Étienne par la manche.

Il se laissa entraîner, non sans remercier une nouvelle fois Eugène qui lança, comme à leur arrivée :

— Bonne nuit, les amoureux !

Lina était furieuse car elle ne comprenait pas pourquoi Étienne aimait tant la compagnie du pêcheur. À cause de la barque promise, certes, mais de là à lui faire des confidences ! Elle souhaita violemment qu'Eugène disparaisse un jour, et il lui sembla que ne plus redouter sa présence, toujours à surgir devant elle au moment où elle s'y attendait le moins, la délivrerait de tous ses tourments.

— Qu'est-ce que tu as ? l'interrogea Étienne.

— Tu le sais bien : je ne l'aime pas, il me fait peur.

Étienne soupira mais ne répondit pas. Ils arrivaient derrière la maison des parents de Lina qui apparut derrière les acacias.

— À demain ! fit Étienne.

Elle ne bougea pas, demanda :

— Tu ne m'embrasses pas ?

— Quelle manie ! s'indigna-t-il en déposant un baiser rapide sur la joue qu'elle tendait.

Mais elle ne se décidait pas à s'éloigner :

— Qu'est-ce que tu veux encore ?

— Tous les deux reçus, triompha-t-elle, tu te rends compte ?

— Oui, je me rends compte que c'est enfin les vacances.

Et il ajouta, comme elle esquissait un pas :

— La barque est sous le grand platane, tu sais, celui qui perd son écorce.

— Oui, dit-elle, je sais où il se trouve.

Et elle disparut dans la nuit. Étienne rentra lentement, respirant bien à fond l'odeur du fleuve qui murmurait dans l'ombre, heureux d'être délivré pour un peu plus de deux mois des devoirs et des leçons, mais surtout d'avoir vu briller les yeux de son père dont les mains, lui avait-il semblé, pour une fois, ne tremblaient plus.

L'été embrasa la vallée que seul le fleuve rafraîchissait. Dès l'aube, un grand soleil grimpait dans le ciel d'un bleu écru et paraissait ne jamais retomber sur l'horizon pâlissant des collines. Comme chaque année, les gens et les bêtes allaient vers l'eau, se baignaient, cherchaient l'ombre, s'alanguissaient dans une paix bienheureuse. Étienne et Lina également, qui profitaient de leur nouvelle liberté et qui, chaque jour en début d'après-midi, embarquaient pour l'île, où ils avaient aménagé une sorte de nid, sur un petit banc de sable entre les fougères et les genêts.

On aurait dit qu'Étienne savait d'instinct mener une barque. Il la manœuvrait doucement, sans à-coups, ramant du côté gauche, tandis que

Lina, face à lui, à l'autre bout, le fixait de ses yeux noirs en souriant, ses longues boucles brunes criblant d'eau ses épaules.

— Qu'est-ce que tu as ? Pourquoi tu me regardes comme ça ?

— J'ai pas le droit de te regarder ?

— Quel pot de colle ! soupirait-il, puis il revenait à sa barque, qu'il lui suffisait de guider à la descente, alors qu'en remontant, le soir, il fallait lutter, en longeant la rive d'en face, contre le courant.

Un après-midi où ils s'étaient épuisés à nager en eau profonde, et comme ils étaient allongés côte à côte sur le sable, il demanda :

— À quoi tu penses ?

— À Toulouse.

Indigné, il se redressa sur un coude :

— On est là, seuls, à l'abri des arbres, dans une île, et tu penses à Toulouse.

— J'ai bien le droit ! fit-elle.

Et elle ajouta, mutine, les yeux clos, dans un soupir :

— L'été, c'est fait pour rêver.

— Eh bien, rêve que tu habiteras cette île plus tard.

— Je ne peux pas.

— Oui, oui, je sais, il te faut du bruit et du monde.

— Mais non, c'est pas ça.

— Et qu'est-ce que c'est alors ?

Elle réfléchit un moment, répondit :

— Ici, j'ai l'impression d'être à moitié morte.

— À moitié seulement ?

Comme il se moquait d'elle, elle se tourna vers lui et leurs corps se touchèrent. Elle hésita, puis passa son bras par-dessus le torse d'Étienne qui tressaillit et s'écarta.

— Qu'est-ce qui te prend ? fit-il.

— Rien ! répondit-elle, étonnée de sa propre audace.

Et elle reprit sa position première, allongée sur le dos, les mains croisées derrière la tête. Une sorte de malaise les séparait maintenant, presque douloureux. « Qu'est-ce que j'ai fait de mal ? se demandait-elle. C'est pas la première fois que je touche sa peau. J'ai cru qu'un serpent l'avait piqué. Ils sont bizarres, les garçons ! Comment lui dire qu'il est le frère que j'aurais aimé avoir ? Il faut toujours que je fasse attention avec lui ! »

— J'aurais tellement aimé que tu sois mon frère, murmura-t-elle, après une hésitation.

— Ah oui ? s'exclama-t-il. Qu'est-ce que ça changerait ?

— Rien, fit-elle… Rien.

Puis elle ajouta, avec un soupir de regret :

— Mais tu serais mon frère. Et tu me protégerais.

— De quoi ?

— D'Eugène, de ma mère malade, du maître d'école… de tout quoi.

— C'est pas ce que je fais ?

— Si ! Mais tu n'es pas mon frère.

— Non !

« Elle a de ces idées, parfois ! songea-t-il. C'est vraiment incroyable, les filles. J'ai jamais rien compris à ce qu'elles manigancent. On dirait qu'elles ont toujours une idée derrière la tête, que ce qu'elles ont ne leur suffit jamais. »

— T'es compliquée, tu sais, dit-il avec une pointe de dureté.

— Mais non.

— Pourquoi tu veux partir, alors qu'on a tout, ici ?

— Parce que je veux vivre autre chose.

— Autre chose que quoi ?

— Autre chose que la peur et que la petitesse.

— Qu'est-ce que tu as inventé, encore ? La peur, je comprends, mais la petitesse... C'est bien une idée à toi, ça ! On a bien le temps de grandir et d'aller travailler.

Il soupira, se leva d'un bond et l'invita à faire de même. Elle l'imita car ils avaient pris l'habitude d'aller faire l'inspection de l'île, chaque jour, pour vérifier qu'il n'y avait pas de traces étrangères, que leur domaine n'avait pas été souillé. Ils effectuaient leur tournée méticuleusement, retenant leur respiration chaque fois qu'une petite anse permettait un accostage, se remettant en marche avec soulagement si rien n'altérait leur univers, proférant des menaces si au contraire un pas trahissait sa violation. Mais le plus souvent ils demeuraient seuls, les haltes de canoës n'étant que provisoires et plutôt rares.

Alors ils se baignaient dans un trou d'eau à la pointe de l'île, qu'avaient creusé les deux bras du fleuve en se rejoignant, et jouaient à descendre le plus loin possible, à trois ou quatre mètres, puis, à bout de souffle, revenaient s'allonger sur le lit de sable chaud d'où ils ne repartaient qu'à sept heures du soir, quand l'ombre tombait sur la rive le long de laquelle il fallait remonter le courant.

De lourds parfums de feuilles et de fougères fusaient vers la barque, leur peau sentait le sable humide, des gouttes d'eau ruisselaient de leurs cheveux vers leurs épaules, Étienne se disait que c'était ça le bonheur tandis que Lina songeait déjà à sa mère et aux corvées qui l'attendaient.

Un soir qu'ils rentraient sur le chemin de rive après avoir accosté un peu plus bas, elle lui dit, doucement, comme avec précaution :

— Si vous partiez en ville, ton père trouverait un nouveau travail, et ne tremblerait plus.

— Il n'y a pas de travail en ville, il n'y a que du chômage ! s'exclama-t-il, surpris et furieux qu'elle revienne toujours sur le même sujet.

— En cherchant bien, il trouverait.

— Mais qu'est-ce que tu veux, à la fin ?

Elle ne répondit pas. Elle s'éloigna vers sa maison et il ne fit pas un geste pour la rejoindre. Le lendemain, il fit exprès de partir avant l'heure dans l'île, où il demeura seul tout l'après-midi, rongé par le remords de ne l'avoir pas attendue. Mais le surlendemain, ils embarquèrent comme si rien ne s'était passé la veille, et ce fut ainsi tout juillet, dans la bienheureuse chaleur d'un été que rien ne paraissait devoir troubler, pas même leurs parents qui semblaient les avoir oubliés.

4

Tout cessa en août, dès qu'il fallut aller dans les vergers ramasser les prunes, un travail fastidieux auquel ils étaient habitués, mais qui les laissait les reins rompus, gavés de fruits, après avoir circulé entre les vols menaçants des guêpes saoules de sucre et les paniers d'osier remplis à ras bord. Seule la halte de midi leur permettait de se reposer à l'ombre des arbres, un peu à l'écart des adultes qui, harassés, ne retrouvaient même pas leur goût de la parole. Quand ils rentraient, le soir, depuis les coteaux accablés de chaleur, Lina lançait à Étienne :

— Ne me dis pas que tu ne préfères pas l'école !

— Ce que je préfère, c'est le fleuve. Pas l'école.

Il se murait dans un silence hostile et songeait que, heureusement, octobre était loin. Il n'arrivait pas à croire qu'il allait falloir remonter chaque jour au village, apprendre des leçons, faire des devoirs, rester prisonnier de ces murs de brique qu'il détestait. En même temps, il était persuadé qu'il existait des enfants qui ne travaillaient pas pendant les vacances, et il les enviait.

En septembre, ils aidèrent aux vendanges dans les vignes de chasselas, et de nouveau ils furent occupés du matin jusqu'au soir. Ils se mêlaient plus facilement aux jeunes plus nombreux dans les vignes, car l'été s'achevait, mais ils rentraient aussi fatigués qu'à l'occasion de la récolte des prunes, parfois à la nuit tombée. Les réjouissances du dernier jour des vendanges – chants, danses et banquet – les voyaient participer davantage à la vie commune, puis ils redescendaient sans un mot, pressés seulement de dormir et d'oublier que dès le lendemain il faudrait repartir dans une autre propriété où l'on avait besoin de leurs jeunes bras.

C'était ainsi depuis toujours, leur semblait-il, c'est-à-dire depuis qu'ils avaient été jugés capables de couper délicatement les grappes sans les écraser. Il ne leur serait pas venu à l'esprit de refuser. Les quelques pièces qu'ils gagnaient leur servaient à acheter des friandises à l'épicerie du village, ou à se procurer le superflu que leurs parents n'auraient jamais songé à acheter : un plumier neuf, une gomme à deux couleurs ou l'un de ces compas de bois qu'ils utilisaient rarement, mais qui faisaient leur fierté dans la cour de récréation.

Ce ne fut qu'à la fin septembre qu'ils purent reprendre le chemin de la rivière, retrouver leur nid tiède entre les genêts, mais cela ne dura pas longtemps, car la pluie arriva, annonçant l'automne et la rentrée scolaire. Lina s'y résigna facilement mais pas Étienne qui estimait n'avoir pas profité des vacances autant qu'il le méritait. Et ce fut avec une mauvaise volonté évidente qu'il la rejoignit sous le pont de la voie ferrée, le matin de la rentrée, comme ils en avaient l'habitude. Il ne cessait de marmonner entre ses dents, tandis que, légère et heureuse, elle marchait devant, feignant de ne pas le remarquer.

Si ce n'était pour son père, Étienne n'y aurait pas remis les pieds, à l'école, après le certificat d'études. C'était bien suffisant, le certificat. Il serait allé travailler dans les fermes, comme sa mère, et la nuit il aurait pêché avec Eugène. Pourquoi fallait-il constamment se plier à ce que décidaient les autres ? C'était sa vie, pas la leur, et il lui tardait d'avoir l'âge de dire « non ».

Lina se retournait, évitait de sourire, l'attendait, convaincue que sa mauvaise humeur lui passerait. Il était toujours comme ça les premiers jours et puis il s'habituait. C'était chaque année pareil. Elle avait la conviction de le connaître mieux qu'il ne se connaissait. Il passerait comme elle l'examen d'entrée à l'EPS, et ils pourraient étudier tous les deux, comme des grands. Après, il ne penserait plus ni au fleuve ni à sa barque.

De fait, Étienne s'habitua ou fit semblant, car il le fallait bien. Le regard fier de son père, le soir, suffisait à le rasséréner, à lui donner le courage de repartir le lendemain matin, sur le chemin du coteau où l'automne allumait des foyers de pourpre et d'or, propulsant dans l'air encore épais des senteurs de moût et de champignons. À l'entrée du village s'était installé l'alambic dont un vieil homme vêtu de hardes entretenait le feu sous la chaudière et leur lançait, chaque fois qu'ils passaient :

— Alors, les enfants, ça va l'école ?

— Ça va ! répondait Lina, alors qu'Étienne demeurait silencieux et haussait les épaules.

L'odeur puissante des moûts et de l'eau-de-vie les accompagnait jusque dans la salle de classe, fusant ensuite par les fenêtres ouvertes où le regard d'Étienne se perdait, guettant l'éclair, en bas, que lançait parfois la Garonne entre les feuilles déchues. Et puis les hirondelles se rassemblèrent sur les fils, un peu de givre vint feutrer les fossés, l'air des matins devint d'une clarté de vitre. L'hiver était là, déjà, qui aidait Étienne à moins regretter d'avoir abandonné les rives du fleuve. Il mit sa barque à l'abri, l'oublia, d'autant que les vacances de Noël furent très froides, et qu'un peu de neige tomba en janvier.

Il avait beau s'efforcer de travailler comme il le fallait, ses résultats scolaires désespéraient le maître qui, citant chaque jour Lina en exemple, lui imposait la conviction d'une culpabilité écrasante. Décidément non ! Il n'y arriverait pas. Malgré de louables efforts, il ne parvenait pas à concentrer son attention sur ce qu'il était censé apprendre.

L'explosion des feuilles et des fleurs du printemps ne fit qu'annoncer un échec qu'il jugeait inévitable, mais dont, au fil des jours, il finit par se désintéresser. Seules les questions de son père, le soir, ravivaient sa sensation de culpabilité. « Il sera malheureux, mais j'y peux rien, se disait-il. C'est pas parce que je vais arrêter l'école que je vais monter dans la cabine de la drague. Je trouverai bien autre chose à faire. Je pourrais devenir menuisier, par exemple, en apprenant le métier chez celui du village et plus tard je construirai des barques, tout en restant près du fleuve. Voilà ce que je lui dirai à mon père. Il finira par comprendre… »

Un matin de la fin avril, alors que le vent avait tourné à l'ouest et que le froid de l'hiver s'était envolé pour de bon, et comme il regardait par la fenêtre, il aperçut sa mère qui ouvrait le portail de la cour. D'abord il n'y crut pas, puis, quand elle s'approcha de la porte et frappa, un malaise le saisit, qui lui donna envie de fuir. Il n'en eut pas le temps, car le maître se précipita, parla quelques secondes avec la visiteuse sur les marches, tandis que le regard d'Étienne croisait celui de Lina qui lui parut affolée. « Qu'est-ce qui se passe ? se demanda-t-il. Pourquoi ma mère vient-elle à l'école alors qu'elle n'est jamais montée jusqu'ici ?

Et pourquoi me regardent-ils tous ? Qu'est-ce que j'ai fait ? »

La mère d'Étienne n'entra pas dans la classe, mais, au contraire, repartit vers le portail d'entrée où elle s'arrêta, dos tourné à l'école. Étienne s'aperçut alors que le maître se tenait devant lui, avec, sur le visage, un air qu'il ne lui avait jamais vu, pas même lors de ses reproches quotidiens.

— Viens avec moi, mon petit ! dit-il.

Étienne se demanda pourquoi le maître l'appelait « mon petit » aujourd'hui ? Est-ce qu'il était devenu fou ? Il se tourna vers Lina qui paraissait de plus en plus effrayée. Mais qu'est-ce qu'ils avaient tous, ce matin, à le dévisager ainsi ? Il n'eut pas le loisir de trouver une réponse, car le maître le prit par le bras pour le faire lever, il l'entraîna sous le préau, et lui dit, d'une voix étrangement douce :

— Ton père est mort, mon petit.

« Mon père est mort, mon père est mort », se dit Étienne. Il dut se répéter plusieurs fois cette phrase dans sa tête pour qu'enfin elle se fraye un chemin en lui, mais sans l'inciter à esquisser le moindre geste.

— Un arrêt du cœur. Il n'a pas souffert.

« Pas souffert, pas souffert – mais qui n'a pas souffert ? » se demanda Étienne.

— Ta mère t'attend. Rejoins-la. Mélina te portera tes affaires ce soir.

Et, comme Étienne ne bougeait pas d'un pouce :

— Va, mon petit !

« Il faut qu'il arrête de m'appeler "mon petit", songea Étienne. Heureusement que les autres n'entendent pas. »

La main du maître lui indiqua le portail, il tourna la tête et aperçut sa mère qui regardait dans sa direction. Puis il ne vit plus rien mais il ne comprit pas que c'étaient des larmes qui l'aveuglaient.

— Va !

Il fit quelques pas, se retourna vers le maître, puis de nouveau vers sa mère qui venait vers lui. Elle le serra furtivement contre elle, ne dit mot, lui prit la main et l'entraîna vers le portail. Songeant que ses camarades devaient le voir depuis la salle de classe, il s'écarta d'elle brusquement, mais il la suivit et ils traversèrent à grands pas la place avant de basculer vers la vallée, sur la route où, enfin, Étienne se sentit comme délivré du regard des autres mais pas seulement : c'était comme si un poids venait de quitter ses épaules. Sa mère, devant lui, marchait rapidement, sans se retourner. Ce fut seulement quand ils empruntèrent le sentier entre les vergers et les vignes qu'elle s'arrêta et lui fit face, avec un visage ravagé et un pauvre sourire.

— Il ne souffre plus, dit-elle. Tu comprends ? Il ne souffre plus.

Il hocha la tête, s'essuya les joues, la suivit à l'instant où elle se remit en marche, courant presque, comme s'il y avait urgence à secourir le père, là-bas, près du fleuve. Un peu avant d'arriver, elle se retourna une nouvelle fois et lui dit :

— Les ouvriers l'ont transporté à la maison.

Il y avait dans sa voix une sorte de consolation dérisoire, comme si le fait de se trouver sous son toit préservait son époux d'un destin fatal. En bas, le curé de Montalens et le médecin se trouvaient là, ainsi que deux femmes du village habituées à faire face à ce genre de circonstances.

— Viens ! dit la mère en lui prenant le bras.

Il eut comme un refus, se crispa mais la suivit dans la chambre où le corps de son père avait effectivement été transporté. Il était là, devant lui, à présent, cet homme à qui il devait la vie, pâle, comme apaisé, délivré du travail et des soucis, et quand Étienne se pencha sur lui, une découverte soudaine lui arracha un sanglot non pas de souffrance, mais de bonheur : son père ne tremblait plus. « Il ne tremble plus. Il ne tremble plus. Il est guéri enfin », se dit-il avec un extraordinaire soulagement.

— Embrasse-le, dit la mère.

Étienne obéit sans la moindre hésitation. Il se sentait délivré, une grande paix était en lui, à présent, de savoir que l'homme qu'il aimait le plus au monde avait échappé à la douleur et à la maladie. Cette pensée ne le quitta pas de la journée, accentuée par une autre, aussi apaisante : il n'aurait plus à travailler pour réussir à l'école, car il ne verrait plus chaque soir le regard de son père posé sur lui. Il ne risquait plus de le décevoir. Et ce fut comme s'il venait enfin de déposer le fardeau qu'il portait sur ses épaules, contre son gré, depuis de longs mois.

Il souffrit cependant de ces pensées qu'il croyait coupables, surtout en constatant le chagrin de sa mère qui alla croissant jusqu'aux obsèques à l'église, puis dans le petit cimetière assoupi à flanc de coteau, entre deux cyprès. Il en avait fait la confidence à Lina venue le soir du décès lui rapporter ses affaires d'école, alors qu'ils marchaient le long du fleuve paisible. Comme elle ne savait que dire mais qu'il la devinait bouleversée de ne pouvoir lui porter secours, il avait murmuré, sans la regarder :

— Ne plus le voir trembler, tu peux pas savoir ce que ça me fait du bien.

— Mais si, je comprends, avait-elle dit en lui prenant une main qu'il avait retirée aussitôt, comme avec sa mère, se refusant à montrer l'immense détresse qui l'avait envahi.

— Ne viens pas à l'enterrement, reprit-il. Je préfère ne pas t'y voir.

— Pourquoi ?

— Je sais pas. Mais ne viens pas... S'il te plaît.

Elle l'avait écouté, n'était pas venue. De même qu'Eugène, le pêcheur, qui, lui, avait procédé à la visite traditionnelle dans la maison du mort et avait demandé à Étienne en sortant :

— Qu'est-ce que vous allez faire, ta mère et toi, maintenant ?

Il y avait comme une inquiétude dans sa voix.

— Qu'est-ce que tu veux qu'on fasse ? Je vais quitter l'école et je vais travailler.

— Ici ?

— Bien sûr, ici. Où veux-tu qu'on aille ?

Eugène en avait paru soulagé, mais il avait glissé un doute dans l'esprit d'Étienne, inquiet des conversations fréquentes entre sa mère et son frère qui, dès le dimanche suivant, prit l'habitude de venir pour la soutenir dans l'épreuve. Ce frère habitait Toulouse et travaillait à la Compagnie du Midi. C'était un grand homme d'une extrême maigreur, un éternel mégot au coin des lèvres, des yeux immenses et noirs, qui avait toujours entretenu des liens étroits avec sa sœur cadette. Étienne l'aimait bien, car il avait senti que cet homme était secourable, également à l'égard de son père dont il avait partagé l'indignation au sujet de ses conditions de travail. Mais aujourd'hui sa présence après le drame chaque dimanche dans la maison du fleuve inquiétait Étienne qui se demandait ce qu'ils pouvaient bien comploter tous les deux. Est-ce qu'ils ne projetaient pas de lui faire quitter la vallée ? À cette idée, Étienne se révulsait et il établissait des plans susceptibles de lui faire gagner un combat que, déjà, sans même que la guerre eût été déclarée, il redoutait.

Il ne put cependant quitter l'école en cours d'année, le maître ayant convaincu la mère que c'était une chance, pour Étienne, de pouvoir entrer à l'EPS en cas de succès à l'examen d'entrée. De là, il pourrait continuer jusqu'au brevet élémentaire et passer un concours pour travailler à la Poste ou aux Contributions. Il tenta de se rebeller, mais rien n'y fit. Alors, par représailles, il cessa d'étudier et de faire ses devoirs, au grand désappointement du maître et de Lina qui s'en indignait chaque matin, sur le chemin de l'école :

— Si tu ne viens pas à l'EPS avec moi, on sera séparés pour toujours.

— Je ne veux plus étudier. Je veux travailler.

— Et quoi faire ?

— Apprendre le métier de menuisier.

— Quelle idée ! Passe au moins le concours !

— Non ! L'école, c'est fini pour moi ! D'ailleurs, ma mère a besoin de moi.

— La mienne aussi a besoin de moi. C'est pour ça que je veux devenir institutrice : pour pouvoir l'aider.

Le nouveau printemps fut le témoin de leurs querelles quotidiennes, qui les laissaient tristes et insensibles, ou presque, aux beaux jours qui approchaient. Fin juin, Lina, dispensée de subir l'examen d'entrée à l'EPS en raison de ses brillants résultats scolaires, passa avec succès le concours des bourses à Montauban. Elle l'annonça à Étienne au début de juillet, alors qu'ils embarquaient pour l'île un début d'après-midi resplendissant de lumière.

— Je suis content pour toi, lui dit-il. C'est ce que tu voulais.

— Non. Ce que je voulais, c'est que tu viennes avec moi.

— L'EPS des filles n'est pas la même que l'EPS des garçons. De toute façon on aurait été séparés.

— Au début, oui, mais on aurait suivi le même chemin et après on se serait retrouvés facilement.

— Et qu'est-ce qui te fait croire que je tiens à te retrouver un jour ?

Elle s'arrêta, comme s'il l'avait frappée, le souffle court, tremblante, le regard incrédule.

Et, comme il s'apercevait du coup qu'il venait d'asséner, d'une voix soudain adoucie :

— Tu vois bien qu'on n'aime pas les mêmes choses, que tu seras instruite et pas moi, que tu vivras loin d'ici, que tout va nous séparer.

Elle s'assit sur le talus au-dessus de la berge, lui tourna le dos, enserra ses genoux de ses bras, ne put lui cacher ses larmes amères. Il vint à côté d'elle, entoura ses épaules de son bras, mais elle se dégagea vivement en disant :

— Laisse-moi ! Va-t'en !

Il resta encore un moment près d'elle, puis, comme elle demeurait hostile, il s'éloigna, descendit vers la barque. Ce fut au moment où il y prenait pied qu'elle se décida à le rejoindre et elle embarqua sans un mot, s'installa le dos tourné à lui qui, d'une traction sur la rame, décolla la barque de la rive et la laissa glisser dans le courant.

Il leur fallut un long moment, une fois sur le sable chaud de l'île, pour oublier cette dispute qui, il le devinait, annonçait d'autres orages, encore plus menaçants. Il s'efforça de la rassurer, mais elle ne croyait pas aux mots qu'il prononçait. « Il ne pense rien de ce qu'il me dit, songeait-elle. Il est déjà loin de moi alors que dix centimètres seulement nous séparent. Mais ces dix centimètres, aujourd'hui, je vais les combler. Peut-être que cette occasion ne se représentera jamais. »

Elle roula brusquement sur elle-même, appuya son corps contre le sien, et posa son bras en travers de sa poitrine. À sa grande surprise, au lieu de la repousser, Étienne referma les siens autour de ses épaules et la serra contre lui.

Juillet ressembla à celui de l'année précédente, tout aussi auréolé de lumière et embelli par les baignades en eau profonde, d'où ils émergeaient à bout de souffle, ivres de cette liberté qui leur était accordée chaque début d'été. Ils n'évoquaient plus l'avenir, se contentaient de jouir de ces heures bénies, dont ils sentaient intimement qu'elles étaient menacées. Mais ils repoussaient cette idée autant qu'ils le pouvaient, surveillaient leur royaume avec une vigilance semblable à celle des vacances passées, s'épuisaient à remonter les courants après s'être laissés descendre vers l'aval, portés par une eau d'une caressante douceur. Alors ils s'échouaient sur le sable et contemplaient le ciel à travers les branches des aulnes et des acacias.

Cela dura jusqu'au 20 juillet, ce funeste jour où, rentrant chez lui vers sept heures, Étienne y trouva son oncle et sa mère attablés, qui, manifestement, l'attendaient. Son oncle Henri n'avait pas l'habitude de venir la semaine depuis Toulouse, mais seulement le dimanche. « Qu'est-ce qu'il fait là, celui-là ? se demanda Étienne. Il vient ici de plus en plus souvent. »

Il chercha vainement le regard de sa mère. Depuis quelque temps elle s'était refermée sur elle-même, et c'était comme s'il ne la reconnaissait plus. Son visage rond et mat n'adoucissait même plus l'expression de ses traits qui s'étaient creusés depuis la mort de son mari. Ses yeux couleur de châtaigne avaient perdu de leur éclat, paraissaient s'être assombris définitivement.

— Il faut que nous parlions, Étienne, dit-elle en se décidant brusquement, mais d'une voix qui tremblait un peu.

Et, comme il ne répondait pas, ignorant ce que signifiait cette gravité soudaine, augmentée par la présence de l'oncle, son éternel mégot au coin des lèvres :

— Assieds-toi, s'il te plaît.

« Mais qu'est-ce qu'ils me veulent ? s'indigna Étienne. On est en juillet et je suis sûr qu'ils vont me reparler d'école. C'est pourtant simple : je ne veux pas recommencer une année de plus. Je leur ai déjà dit plusieurs fois. »

Il s'assit, mais demeura hostile, prêt à renouveler ce refus, avec plus de force s'il le fallait.

— Voilà ! commença la mère en s'éclaircissant la gorge.

Et, après un regard inquiet vers son frère qui l'encouragea d'un signe de tête :

— Tu nous as bien dit que tu ne voulais plus continuer à l'école ?

Tous ses sens en alerte, il hocha la tête, mais se sentit en danger devant ce ton dans lequel il devinait une menace immédiate.

— Bien !

Elle jeta un nouveau regard vers son frère, poursuivit :

— Alors ton oncle t'a trouvé une place d'apprenti.

— Chez le menuisier de Montalens ?

— Non. Il n'embauche personne. Il va prendre sa retraite.

— Où, alors ?

— Dans une usine.

— Une usine de quoi ?

— Une usine sous-traitante des chantiers de Latécoère, dans l'aviation.

Étienne sentit une pince de fer se refermer sur sa poitrine.

— Où ?

Sa mère, incapable de continuer, se tourna vers son frère qui, lui, n'hésita pas :

— À Toulouse.

— À Toulouse ?

— Oui ! Et c'est un miracle que de trouver une place d'apprenti aujourd'hui. Plus personne n'embauche. C'est la crise, comme tu le sais.

Un grand froid avait envahi Étienne, qui ne parvenait plus à respirer. Son corps entier se refusait à ce qu'il venait d'entendre et il ne trouvait pas les mots pour exprimer son refus viscéral, douloureux.

— Oui, reprit sa mère. Un miracle. D'autant qu'il m'a trouvé aussi une place à l'entretien des wagons à la Compagnie du Midi.

— Et un petit logement dans le quartier Saint-Cyprien proche de l'Hôtel-Dieu.

« Mais qu'est-ce qu'ils racontent ? se dit Étienne. Ils ne sont quand même pas en train de me dire qu'on va quitter le fleuve et la vallée ? Ils sont devenus fous ! »

C'est à peine s'il réussit à murmurer :

— Je suis bien, ici. Je ne veux pas partir !

Et, comme ces quelques mots avaient fait apparaître une soudaine contrariété à la fois chez sa mère et chez son oncle :

— Je ne partirai jamais, vous m'entendez ? Jamais !

Un lourd silence, plein de réprobation, succéda à cette rébellion qu'ils avaient sans doute prévue, car l'oncle haussa brusquement la voix et lança, furieux que l'extrême obligeance dont il avait fait preuve ne soit pas reconnue comme telle :

— Tu es mineur, ne l'oublie pas, et tu dois obéissance à ta mère ! Que tu le veuilles ou non, tu vas la suivre à Toulouse !

Il ajouta, assénant un coup définitif à ses yeux :

— Et puisque tu ne veux plus étudier, tu vas travailler.

Étienne croisa alors le regard de sa mère et sentit que, devant sa révolte, elle faiblissait dans sa détermination première. Il comprit qu'il lui en coûtait, à elle aussi, de quitter la vallée, à l'instant où elle murmura, comme pour se faire pardonner :

— Henri m'a dit que le logement se trouvait à deux cents mètres de la Garonne.

— La Garonne de chez nous ?

— Bien sûr ! Il n'y en a qu'une, intervint l'oncle de plus en plus impatient de régler un problème qui, selon lui, n'en était pas un.

Il sembla alors à Étienne que la présence du fleuve à proximité du lieu où ils habiteraient lui serait secourable. Mais il ne voulut pas capituler si vite, et il demanda de plus amples explications sur ce travail d'apprenti qu'on lui promettait. L'oncle lui indiqua qu'il s'agissait de travailler sur une machine-outil de l'entreprise Mécalav qui se trouvait sur les quais de la Garonne.

— Ainsi, en la traversant, tu la verras tous les jours, comme ici, ajouta-t-il, certain de trouver là un argument définitif.

Étienne demeura silencieux un long moment, ne trouvant plus, soudain, le moindre argument à opposer. Il déclara néanmoins, mais d'une voix qu'il voulut la plus agressive possible :

— De toute façon, quand je serai majeur, je reviendrai ici.

— Quand tu seras majeur, dit l'oncle, tu feras ce que tu voudras.

Il ajouta, après un regard vers sa sœur :

— À tes seize ans, j'espère bien pouvoir te faire entrer à la Compagnie, au service de l'entretien, d'autant que tu auras appris à te servir des machines-outils.

Et il répéta :

— Après, à ta majorité, tu agiras comme bon te semble.

Un lourd silence s'établit de nouveau, bientôt rompu par la mère qui murmura :

— Rends-toi compte, mon petit, de la chance que nous avons qu'Henri s'occupe de nous. Qu'est-ce qu'on serait devenus sans lui ?

— On serait restés ici, et on aurait trouvé du travail dans les champs, dit-il avec agressivité.

— Dans les champs ! grinça l'oncle. Tu crois que c'est une vie que d'être ouvrier agricole et de gagner une misère ?

— Il n'y a pas que les champs, ici, il y a le fleuve aussi.

— Pour faire comme l'autre, le braconnier qui n'a jamais eu un sou devant lui et qui finira en prison !

— Il n'ira jamais en prison ! s'indigna Étienne, prenant d'instinct la défense d'Eugène.

— Bon ! Maintenant ça suffit ! lança l'oncle, exaspéré. C'est comme ça et c'est tout ! Moi, il faut que je reparte, parce que figure-toi, gamin, que demain je bosse à six heures.

Et, désirant mettre définitivement fin à cet échange pour lui inutile, il se leva subitement, embrassa sa sœur, salua Étienne d'un signe de tête, et se mit en route d'un pas pressé vers la gare de Montalens distante d'un kilomètre. Étienne et sa mère se retrouvèrent soudainement seuls, incapables de prononcer le moindre mot. Ce fut elle qui prit enfin la parole en s'approchant de lui :

— Tu verras, on sera bien.

Elle voulut lui caresser la joue, mais il se recula brusquement, et, se levant d'un coup, il l'écarta, franchit la porte et se mit à courir vers le fleuve, devant lequel il s'arrêta, ne sachant où aller pour oublier ce que l'on avait décidé pour lui – contre lui. Puis, par une sorte d'instinct familier, il se dirigea vers la maison de Lina dont la masse confuse apparut dans la nuit qui tombait, entraînant avec elle les parfums lourds des soirs de juillet. Comme si elle avait deviné cette visite, Lina était assise devant la maison, un livre sur ses genoux. Malgré la pénombre, elle avait reconnu la silhouette d'Étienne le long de la rive, et elle se précipita vers lui, qui murmura, accablé, aussitôt qu'elle l'eut rejoint :

— Je vais partir à Toulouse.

— À Toulouse ?

— Mon oncle nous a trouvé du travail à ma mère et à moi.

Elle ne répondit rien, afin de ne pas trahir l'onde de joie qui montait en elle à l'idée que s'il partait à Toulouse, elle le rejoindrait là-bas et qu'ils vivraient ensemble, comme elle l'avait rêvé.

Il poursuivit, d'une voix lugubre :

— Une place d'apprenti dans une usine.

— Une usine ?

— Oui.

— Une usine de quoi ?

— Elle fabrique des pièces pour les chantiers de l'aviation.

— Pour l'aviation ?

— Arrête de répéter ce que je te dis. C'est agaçant, à la fin.

Elle se tut un instant, reprit :

— Tu es content ?

— Je peux pas faire autrement. Ils m'ont pas laissé le choix. Je suis pas majeur.

Elle murmura alors, comme en une consolation :

— Moi aussi je viendrai un jour.

— Oui, mais moi, quand j'aurai vingt et un ans, je reviendrai ici et je vivrai comme je voudrai.

Elle ne répondit pas, car cela ne lui parut pas nécessaire : à son avis, quand Étienne aurait vingt et un ans, il se serait accoutumé à la ville et aurait oublié le fleuve et la vallée. « Dans huit ans, songea-t-elle, ça m'étonnerait qu'il y pense encore. Je ne m'inquiète pas pour ça. Et moi, je l'aurai rejoint là-bas. »

Elle voulut néanmoins lui montrer qu'elle comprenait sa réaction consécutive à une si rapide décision, et demanda :

— Je croyais qu'il n'y avait plus de travail nulle part. Comment a-t-il fait, ton oncle, pour vous trouver si rapidement quelque chose ?

— Je crois que c'est grâce à son syndicat.

— Un syndicat ? Qu'est-ce que c'est ?

— Un groupement qui défend les ouvriers.

Étienne soupira, puis ajouta :

— Enfin, je sais pas très bien. Toujours est-il qu'il a trouvé et que nous allons partir.

— Quand ?

— On doit prendre le travail début septembre.

Ils se turent, songeant l'un et l'autre qu'ils avaient encore un mois devant eux avant le grand départ. Un oiseau de nuit passa au-dessus d'eux en direction de l'île, et, surpris par leur présence, jeta un cri qui résonna de façon sinistre dans la nuit et les fit frissonner.

— Je vais rentrer, souffla Étienne.

— Ne t'en fais pas ! dit-elle. Je suis sûre que tu t'habitueras.

— Non ! Un jour je reviendrai.

Elle ne répondit pas, l'embrassa rapidement sur la joue, lança un « à demain » qui était joyeux, puis elle courut vers sa maison, un sourire vainqueur illuminant son visage dans la nuit qui avait recouvert la vallée de son drap de velours.

5

L'été culmina dans la chaleur épaisse d'un mois d'août qui semblait à Étienne devoir être le dernier de sa vie. Il savait qu'un gouffre immense s'était ouvert devant lui, que quoi qu'il fasse il allait y être englouti, et il songeait à une seule chose : profiter des derniers jours heureux sur les rives du fleuve, oublier ce qui l'attendait. Chaque après-midi il embarquait avec Lina, non plus seulement vers l'île, mais de plus en plus loin vers l'aval, comme pour s'éloigner de la destination qui lui était promise, et ils rentraient de plus en plus tard, remontant avec difficulté le courant d'une eau heureusement encore basse, à cause du manque de pluie.

Il avait obtenu de sa mère l'autorisation de ne pas travailler au ramassage des prunes, et Lina avait menti à ses parents, affirmant qu'elle avait trouvé de l'embauche seulement le matin. Il serait bien temps, en septembre, de consacrer toute la journée aux vendanges et gagner ainsi l'argent dont elle avait besoin pour la rentrée scolaire.

Quand ils descendaient le fleuve au fil de l'eau, elle disait à Étienne avec un sourire qui éclairait malicieusement ses yeux noirs :

— Et si on allait plus loin, toujours plus loin ! Si on ne revenait jamais !

Il ne répondait pas, se demandait si elle était sincère ou pas, mais quelque chose, dans ces paroles, le séduisait en lui donnant l'illusion de pouvoir échapper au sort qu'on lui avait destiné.

— Jusqu'à Bordeaux ou l'océan, reprenait-elle avec une conviction qui ne paraissait pas feinte à Étienne.

Et elle ajoutait, diabolique :

— Ils ne nous retrouveraient pas.

Il haussait les épaules, murmurait :

— T'es complètement folle !

Et pourtant cette idée ne lui paraissait pas impossible à réaliser : il suffisait de se laisser glisser sans effort, portés par l'eau vagabonde, vers des berges accueillantes et dénuées de la moindre menace – ce qu'il fit, un après-midi de la mi-août, très loin vers l'aval, entre des rives inconnues, si bien qu'ils ne purent remonter un courant devenu trop puissant, et durent abandonner la barque dans une anse déserte et repartir à pied.

La nuit tomba rapidement, alors qu'ils pensaient avoir du temps devant eux. Des ombres inquiétantes campaient entre les arbres dont pas une feuille ne frissonnait, des parfums d'étables descendaient vers les berges depuis le coteau, et l'ancien chemin de halage se perdait dans des bosquets inextricables, les obligeant à faire demi-tour. Ils s'éloignèrent du fleuve pour tenter d'atteindre deux ou trois lumières qui tremblotaient là-haut, sur une colline, mais elles s'éteignirent brusquement, comme soufflées par le vent de nuit, qui venait de se lever.

— Tu vois ce qui arrive à cause de toi ? fit Étienne.

— Pourquoi à cause de moi ? s'indigna Lina.

— Avec tes idées folles !

Elle haussa les épaules, renonçant à se défendre. D'ailleurs elle était satisfaite de ce qui leur arrivait. Pour les conséquences, on verrait bien. « Si seulement il avait pu aller plus loin ! se disait-elle. Si on avait pu ne jamais revenir ! Pourquoi ont-ils toujours peur, les garçons ? Si cette barque était à moi, je ne serais jamais remontée. Ils ne m'auraient pas revue. Ou alors pour la rentrée, en octobre, et je serais allée directement à l'EPS ! »

Ne parvenant pas à trouver une route, ils retournèrent vers la Garonne qui scintillait entre les feuilles des arbres, les rassurant sur la direction à suivre : il suffisait de la longer pour ne pas se perdre. Ils parcoururent ainsi près d'un kilomètre, avant que Lina ne constate :

— J'aurais jamais cru qu'on soit si loin.

— On va vite sur l'eau. Bien plus vite qu'à pied.

Ils avancèrent encore de quelques centaines de

mètres et se trouvèrent alors au pied d'un escarpement rocheux, peuplé de corneilles, qui descendait jusqu'au fleuve, interdisant le passage.

— On n'a qu'à plonger, dit Lina.

— Non ! Je suis sûr qu'il y a un tourbillon en bas. C'est toujours comme ça avec les rochers : ils provoquent des remous.

— Alors, qu'est-ce qu'on fait ?

— On va revenir un peu en arrière et essayer de monter pour passer au-dessus.

Ils ne purent y parvenir, car la sente, à peine dessinée, se perdait dans des taillis de plus en plus épais. Épuisés, ils s'arrêtèrent sous l'abri d'un grand chêne, au milieu des fougères.

— Qu'est-ce qu'on va prendre, demain ! souffla Lina.

— On verra bien, dit-il. Le mieux, c'est d'essayer de dormir.

Ils s'allongèrent côte à côte, mais très vite ils eurent froid et ils s'endormirent dans les bras l'un de l'autre.

Ce fut également le froid qui les réveilla bien avant le lever du jour, les faisant frissonner. Les rayons du soleil n'avaient pas encore pénétré dans la vallée où le brouillard errait en larges flaques au ras du sol, heureusement peu épais.

— Il faut marcher, dit Étienne, ça nous réchauffera.

Ils repartirent vers l'aval où ils découvrirent, à une centaine de mètres du lieu où ils avaient dormi, un sentier mieux formé, qui semblait monter vers la colline. Ils n'avaient pu le deviner la veille, car il partait sous le couvert de trois saules nains, qui le cachaient à la vue depuis la rive. Lina ne disait rien, paraissait tout à fait calme, heureuse de cette nuit passée avec Étienne, dans la solitude d'un lit de fougères. Le prix qu'ils allaient payer lui paraissait dérisoire par rapport à ces heures vécues dans ses bras. Ni l'un ni l'autre n'avait esquissé le moindre geste interdit, ceux dont ils pressentaient, malgré leurs treize ans, à quoi ils pouvaient conduire. Mais c'était extraordinaire, pour elle, qui avait rêvé si souvent d'une telle proximité, d'un abandon si total, sans arrière-pensées.

Son insouciance dans la fraîcheur du matin étonnait Étienne, qui, lui, imaginait maintenant les représailles. Ils allaient sûrement essayer de lui prendre sa barque, mais ils ne la trouveraient jamais. Il dirait à Eugène où il l'avait laissée et il irait la récupérer. Ils la cacheraient sur la rive d'en face, là où personne n'allait jamais. Eugène se tairait. Personne ne pourrait le faire parler, Étienne en était persuadé.

Ils débouchèrent bientôt sur une petite route qui montait au-dessus d'une courte falaise qui devait être le prolongement du rocher dont la base plongeait vers le fleuve : celui qui les avait arrêtés la veille. Au bout de dix minutes, ils comprirent que c'était bien le même, en effet. Il suffisait maintenant de suivre la route qui contournait la falaise par le haut et de redescendre vers l'eau, sitôt qu'ils l'auraient dépassée. Ce qu'ils firent, courant presque, malgré la faim et le froid qui les tenaillaient.

Une fois en bas, le soleil émergea par-dessus la colline et les réchauffa un peu, tandis qu'ils se hâtaient sur le chemin de rive, bien dessiné à présent, et redevenu familier alors que tout leur avait paru hostile, la veille au soir, au fur et à mesure que la nuit tombait. Ils parcoururent un kilomètre, ralentissant, à présent, à l'idée de ce qu'ils allaient devoir affronter une fois chez eux, puis ils entendirent un appel depuis le milieu du fleuve et, sans se consulter, d'un même élan ils se précipitèrent vers l'eau.

— C'est Eugène ! dit Étienne en criant et en formant de grands moulinets avec les bras.

— Il nous a vus ! s'écria Lina, pour une fois heureuse de l'arrivée du pêcheur.

Il ne fallut que trois minutes à Eugène, habitué à manœuvrer dans toutes les conditions, pour aborder sur la rive où l'attendaient les fuyards. Mais il était furieux, Eugène, ils s'en aperçurent dès qu'il eut mis pied à terre, à l'instant où il reprocha, d'une voix vibrante de colère :

— Qu'est-ce que vous avez fait ? Vous vous rendez pas compte qu'ils m'ont envoyé les gendarmes !

— Les gendarmes ?

— Pardi ! Ils ont menacé de me jeter en prison si je ne vous retrouvais pas. Et tout ça en pleine nuit, alors que je rentrais avec les poissons pris dans mes filets.

— Qui les a prévenus, les gendarmes ? demanda Mélina.

— Qui les a prévenus ? grinça Eugène. Vos parents, bien sûr. Ils ont eu peur que vous soyez tombés à l'eau depuis la barque et que vous vous soyez noyés.

— Mais non ! fit Étienne. Ils savent bien que nous savons nager depuis longtemps.

— C'est pas parce qu'on sait nager qu'on ne peut pas se noyer. On a déjà vu ça sur le fleuve.

Et, comme Étienne et Lina ne savaient qu'ajouter devant le désastre annoncé :

— On va revenir à pied, ce sera plus rapide que de remonter sur l'eau. Je reviendrai chercher ma barque plus tard.

— Et la mienne ? fit Étienne.

— Je m'en occuperai aussi. Mais si tu veux mon avis, t'es pas près de remonter dessus.

Il attacha rapidement son bateau au tronc d'un frêne, puis, passant une main rude sur la tête d'Étienne, il lança d'une voix qui avait étonnamment perdu de sa colère :

— Vous me faites deux beaux pirates, tous les deux ! En route, mauvaise troupe !

Il leur fallut deux heures pour atteindre le

hameau où la mère d'Étienne et le père de Lina faisaient le va-et-vient sur le chemin de rive, devant la maison d'Eugène, en compagnie de deux gendarmes.

— Où étiez-vous passés ? gronda le père de Lina qui n'avait pas rejoint son poste de travail.

La gifle qu'elle reçut la dispensa de répondre, tandis qu'Étienne, volant à son secours, déclarait :

— C'est de ma faute. Je me suis pas méfié, alors je suis descendu trop bas et j'ai pas pu remonter.

Il ajouta, très vite, tout en remarquant qu'Eugène s'éloignait sur la pointe des pieds :

— La nuit nous a surpris. Et comme on ne savait pas où on se trouvait, on a dormi et on a attendu le jour.

— Rentre à la maison, toi ! cria le père de Lina. Va aider ta mère !

Elle ne se le fit pas dire deux fois et partit en courant. C'est alors que le regard d'Étienne rencontra celui de sa mère, et qu'il y décela une lueur de souffrance qui l'étonna. Elle avait eu vraiment peur. Et il comprit pourquoi, soudain : devant ce qui l'attendait, et ce à quoi il se refusait, elle avait redouté qu'il disparaisse définitivement avec Lina. Elle en tremblait encore, le prenant par le bras alors que le père de Lina raccompagnait les gendarmes jusqu'à leur voiture en les remerciant.

Une fois à l'intérieur, face au silence hostile de sa mère occupée à mettre du café à réchauffer, il s'inquiéta beaucoup pour Lina, sachant à quel point son père pouvait être violent. Puis la mère se retourna brusquement et reprocha :

— Qu'est-ce qui t'a pris ?

— Je suis descendu trop bas, je te l'ai déjà dit, souffla-t-il. Je m'en suis pas rendu compte.

Il ajouta, devant l'air à la fois soulagé et souffrant de sa mère :

— Le courant était trop fort : j'ai pas pu remonter.

Elle soupira, demanda :

— Tu as faim ?

— Oui. J'ai rien mangé depuis hier à midi.

— Coupe du pain ! Je fais chauffer du café.

Il reprit, tandis qu'elle se tournait de nouveau vers la cheminée :

— Tu devrais aller chez Lina : il est capable de lui taper dessus.

— Mais non. Il a eu peur, c'est tout.

— Il l'a déjà frappée.

La mère soupira, posa la cafetière sur la table, s'essuya les mains à son tablier, puis, hésitante, elle murmura :

— À moi aussi, il me fait peur, cet homme.

Étienne n'insista pas : il savait sa mère incapable d'intervenir dans un autre foyer que le sien. Il se mit à manger avec un appétit exacerbé par le jeûne de la veille, et il lui sembla que sa mère partageait ses pensées quand elle déclara :

— Il faut pas t'en faire. On s'habituera.

Il ne répondit pas, mais il comprit qu'elle

appréhendait autant que lui le changement de vie qui les attendait.

Lina avait échappé aux coups qu'elle redoutait, son père étant parti précipitamment au travail, non sans lui avoir interdit de s'approcher du fleuve et en ajoutant qu'il « réglerait tout ça ce soir ». Elle devait faire face à présent aux lamentations de sa mère qui, prétendait-elle, avait failli mourir d'inquiétude et lui reprochait de se désintéresser de son sort. « Je m'en fous, songeait Lina. Je m'en vais en pension à l'EPS en octobre. Il faudra bien qu'elle fasse sans moi. J'en peux plus de cette vie ! Je ne veux plus de ces jérémiades, de ce malheur de chaque jour, de ces menaces ! Je sais bien que ce n'est pas de sa faute, qu'elle n'a pas choisi d'être paralysée, mais est-ce que j'en suis responsable, moi ? Et l'autre, qui me menace, maintenant ! S'il recommence une seule fois, je m'enfuis pour de bon et ils ne me retrouveront pas ! »

Sa révolte diminua un peu au fil des heures, d'autant que sa mère cessa de se plaindre en la voyant s'affairer avec application. Mais les heures qui passaient rapprochaient Lina du retour de son père, et la faisaient trembler à la fois de peur et de colère. L'après-midi ne fut qu'une longue attente, rythmée par les ordres de la mère, qui ne la laissa pas en repos, l'accablant de corvées ménagères.

« Bientôt ce sera fini, se dit-elle. Je n'aurai plus

que des livres et des professeurs devant moi. J'en rêve depuis toujours. Mais il manquerait plus que l'autre change d'avis, maintenant, alors que j'ai été reçue au concours des bourses. Il était fier, pourtant, ce soir-là, quand je suis rentrée. Aussi fier que le soir du certificat d'études. Pourquoi les hommes sont si violents ? On dirait qu'ils veulent se faire mal à eux-mêmes. Il faut toujours qu'ils crient, qu'ils menacent ! Je suis sûre qu'Étienne ne deviendra pas comme eux. Il ne leur ressemble pas et ne leur ressemblera jamais ! »

Son père rentra à sept heures, et, comme à son habitude, épuisé, il s'assit à table et se versa deux verres de vin. Il paraissait avoir tout oublié du matin, quand, rouvrant brusquement les yeux qu'il avait fermés en buvant, son regard tomba sur Lina qui mettait le couvert – en faisant pourtant le moins de bruit possible et en s'efforçant de se rendre invisible. Elle sentit que l'orage éclatait à l'instant où il lança soudainement :

— Qu'est-ce que c'est que cette histoire de prunes ramassées seulement le matin ? Je suis passé chez Valentin, il m'a dit qu'il cueillait comme d'habitude, toute la journée. Quand est-ce que tu vas arrêter de mentir ?

Et, comme Lina se faisait toute petite, restant silencieuse, il se leva, pris d'une rage de nouveau réveillée :

— C'est pour aller retrouver ton galant et passer la nuit avec lui !

Elle se crispa, ne sut que dire pour se défendre.

— Tu vas me répondre !

Elle se tourna de côté pour éviter le coup, mais ne put s'effacer tout à fait, et la douleur la fit grimacer. Alors, ivre de révolte et de rage, elle se saisit d'un couteau et recula contre le mur, la main tendue devant elle. Devant ce geste qu'il n'aurait jamais imaginé, le père, d'abord, demeura stupéfait, puis il se précipita en avant en criant :

— Lâche ça, petite !

Il voulut la saisir par le poignet, mais elle se défendit avec la main qui tenait le couteau et elle entailla légèrement l'avant-bras de son père, ce qui l'arrêta. Incrédule, il porta son regard pendant quelques secondes sur le sang qui perlait, ce qui laissa à Lina le temps de jeter le couteau et de s'enfuir dans la nuit qui tombait.

Elle courait, elle courait, prenant la direction de la maison d'Étienne, puis, songeant que c'était là qu'on la chercherait, elle obliqua vers la voie ferrée et prit le chemin du village, où elle arriva à bout de souffle, se dirigeant vers l'école comme vers un refuge. Elle erra un moment devant la cour déserte, croisa des femmes qui la dévisagèrent bizarrement, jugea plus prudent de revenir vers le coteau où elle se réfugia dans une vigne. Là, elle s'assit à l'abri des ceps où les grappes avaient commencé à mûrir, écouta longtemps les bruits venus de la vallée, mais rien ne vint troubler la paix de cette nuit d'été, pas même l'aboiement d'un chien dans une métairie. Elle s'apaisa, s'efforça de se rassurer en se disant que la lame avait à peine effleuré le bras levé de son père, puis elle s'allongea sur le côté et elle s'endormit.

Pas longtemps. Une heure seulement, après quoi ce qui s'était passé lui revint brutalement à l'esprit, et elle eut besoin de secours. Alors elle redescendit et, précautionneusement, elle s'approcha de la maison d'Étienne. Mais elle n'eut pas à frapper à la porte, car il ne dormait pas : il l'avait cherchée sur la rive jusqu'à cette heure avancée de la nuit et, ne l'ayant pas trouvée, il attendait devant la porte, assis sur un banc, espérant qu'elle viendrait d'elle-même.

— Lina, c'est toi ? demanda-t-il.

— Oui.

— Où étais-tu ?

— En haut, au village. Il a voulu me battre. Je me suis défendue et je me suis enfuie.

— Oui, je sais. Il est venu à la maison. Il te cherchait.

Elle s'approcha de lui, se réfugia dans ses bras, murmura :

— Je ne veux pas rentrer chez moi.

— Mais non. Viens !

Malgré l'heure tardive, la mère ne dormait pas.

— Tu ne peux pas rester ici, c'est pas raisonnable, dit-elle à Lina quand Étienne lui eut raconté ce qui était arrivé.

— Et pourquoi ? fit Étienne. Il est déjà venu voir si elle était là. Il ne reviendra pas.

La mère hésita un moment, puis elle soupira en disant :

— Bon. Je la ramènerai demain matin.

— On verra, dit Étienne. En attendant, elle va rester chez nous.

Lina remercia, suivit la mère qui la conduisit dans une petite chambre qui servait de débarras mais où se trouvait un vieux lit en fer. Étienne les aida à faire place nette, et Lina, une nouvelle fois, remercia. Rassurée, à présent, elle se coucha avec la sensation d'être doublement protégée : elle était à l'abri des murs d'une maison, et c'était la maison d'Étienne. Rien ne pouvait ici la menacer. Elle s'endormit, un paisible sourire posé sur ses lèvres mi-closes.

Le lendemain matin, avant de la ramener, la mère attendit que le père de Lina soit parti au travail et elle s'en fut parlementer avec la paralytique.

— Il a eu peur, assura celle-ci. Il a cru qu'elle était allée chez les gendarmes. Il ne recommencera plus. Il veut seulement que la petite aille ramasser les prunes dès le matin.

Lina voulut avoir confirmation de ce qu'avait rapporté la mère d'Étienne, et il l'accompagna jusque chez elle. Alors seulement, elle consentit à aller travailler dans les vergers et à rentrer le soir, non sans la plus grande prudence. Mais, dès lors, à partir de ce jour, son père parut ne plus la voir. Il faisait comme si elle n'existait pas. « Tant mieux ! se disait-elle. Il me reste un mois à tenir. Ensuite je partirai, et je ne reviendrai même plus aux vacances. Je resterai à l'EPS. Je suis sûre que c'est possible. En attendant, je verrai Étienne chaque dimanche. »

Cette séparation leur coûta à tous les deux, d'autant qu'elle en annonçait une autre, beaucoup plus douloureuse, et elle se rapprochait rapidement, les derniers jours d'août paraissant filer encore plus vite, car ils raccourcissaient, étirant des brumes sur le fleuve dès la tombée de la nuit, apportant des odeurs lourdes de champignons et de fougères déjà courbées vers la mousse nourricière.

Étienne, qui, grâce à Eugène, avait récupéré sa barque, passa ces derniers jours sur l'eau depuis l'aube jusqu'au soir. Il ne fallait pas perdre une seule minute du temps qui lui restait avant le grand départ. Il se levait à cinq heures, accompagnait Eugène qui allait relever ses filets, et qui lui demandait, rituellement, chaque matin :

— Alors, tu vas partir ?

— Oui, mais je reviendrai !

Dès lors ils ne parlaient plus, Eugène étant rassuré par la détermination d'Étienne, ce dernier s'efforçant d'imaginer le jour où, devenu majeur, il regagnerait définitivement les rives de la Garonne.

Une fois la pêche terminée, il allait déjeuner chez lui, puis il repartait, montait sur sa barque, et voguait vers l'île où il s'était si souvent allongé, près de Lina, entre les fougères et les genêts dont le parfum, brusquement retrouvé, le submergeait de bonheur et de tristesse. « C'est pas possible de quitter tout ça, se disait-il. Je sais bien qu'il le faut, mais je n'arrive pas à m'y faire. Et je suis sûr que la Garonne, là-bas, ne ressemble pas à celle d'ici. Je reviendrai le dimanche. Une heure et demie de train, c'est pas long. L'oncle le faisait bien, lui. »

À moitié rassuré par ces pensées de secours, il allait plonger dans les grands fonds à la pointe de l'île, ressortait à bout de souffle, tentait de fixer en lui, par tous ses sens, les couleurs, les parfums et les bruits de ces rivages dorés par l'innocence de l'enfance, ces trésors qu'il fallait emporter, sous peine de souffrir d'une perte cruelle et, à ses yeux, injustifiée.

Lina put s'échapper avant le grand départ, car le ramassage des prunes était terminé. Ce fut un jour de grand soleil, avec des touffeurs d'été, des étincelles de lumière dans les arbres qui commençaient à jaunir, de longues plages de silence, troublées seulement par Lina qui disait, redressée sur un coude, pour le consoler :

— Moi aussi, je vais m'en aller.

Étienne ne répondait pas, son regard se perdait dans les éclairs du soleil entre les feuilles, il jouait à s'aveugler, à se faire mal.

— Tu t'habitueras, tu verras.

— Arrête de parler comme ma mère ! Tu sais très bien que je ne m'habituerai jamais.

Elle n'insistait pas, sûre d'elle-même, de son désir d'ailleurs, certaine de le lui faire partager un jour, elle qui n'avait vécu que dans ce rêve : s'enfuir, vivre une autre vie, pousser les portes d'une existence plus grande, où elle deviendrait libre, et forte – heureuse enfin. En ces heures décisives, la gaieté qu'elle ne pouvait dissimuler l'éloignait d'Étienne, mais elle n'en souffrait pas. Lui, au contraire, demeurait hostile, fermé, ne la comprenait pas ; il aurait préféré rester seul. Si bien qu'il ne la retint pas à l'instant où elle s'aperçut qu'il était temps, pour elle, de rentrer.

— Vous partez à quelle heure ? demanda-t-elle, désirant retarder le moment de la séparation.

— Je te l'ai déjà dit : le camion arrive à neuf heures, avec mon oncle. Ma mère prend le train, mais moi j'aide à charger et je repars avec les déménageurs en début d'après-midi.

Ils étaient sur la rive, face à face, et elle ne se décidait pas à le quitter.

— Tu ne m'embrasses pas ? fit-elle.

Il se pencha vers sa joue droite, y déposa un baiser rapide, se redressa.

— Où que tu sois, je te rejoindrai, dit-elle.

Il hocha la tête, mais n'eut pas la force de sourire. Alors elle l'embrassa furtivement au coin des lèvres, puis elle fit volte-face et s'enfuit de toute la vitesse de ses jambes.

Il rentra chez lui pour le repas du soir, mangea sans trouver la force de répondre à sa mère qui lui prodiguait des recommandations pour la journée du lendemain, quand les déménageurs – deux amis de l'oncle – seraient là. Il hochait la tête mais n'entendait pas vraiment. Il était ailleurs, muré dans un refus total, imaginant tous les stratagèmes possibles pour échapper à cette déchirure qui, dès avant de la vivre, l'accablait.

À peine son repas terminé, il ressortit alors que la nuit tombait, et sa mère n'eut pas le cœur de lui demander où il allait. Il y voyait encore un peu, et il se dirigea d'instinct vers sa barque dont Eugène avait promis de s'occuper en son absence. Il demeura un moment immobile, à la regarder osciller sur l'eau puis il se décida brusquement et y monta, poussé par un besoin de glisser une dernière fois dans les velours du fleuve et de la nuit mêlés.

Il pagaya vers l'île au milieu d'un silence feutré, accosta, trouva facilement le chemin du nid douillet où il s'allongeait avec Lina, puis, bercé par le murmure des arbres, il pleura quelques larmes amères, jusqu'à ce qu'un refus animal de ce qui l'attendait monte en lui, l'étouffe, le pousse à entrer dans le fleuve, à faire corps avec lui, à oublier tout ce qui était étranger à lui. Il marcha vers la pointe de l'île, plongea sans hésitation dans le gouffre creusé par les deux bras, et, bloquant sa respiration, coula vers le bas, tout au fond, avec le besoin impérieux de s'y fondre – de s'y perdre.

Jamais il n'était descendu si profondément aussi longtemps. Il se sentit flotter dans une sorte de sommeil heureux, auquel il consentait par toutes les fibres de son corps. De longues secondes passèrent avant que la souffrance, dans sa poitrine, vienne l'alerter sur ce qui pouvait être un danger. Il ouvrit les yeux, vit une lueur rouge, les referma, ne bougea plus. Il se sentait au-delà de son corps, plus rien n'avait d'importance, sinon cette sorte de rêve dans lequel il baignait, et où, à présent, la douleur s'atténuait.

Et c'est dans ce bien-être étrange et dangereux qu'une vague reflua en lui, soudainement, celle d'une jeune vie qui refusait de s'éteindre, lui livrant l'image de sa mère seule, et celle de Lina qui courait sur le chemin du village, l'appelant au secours. Son pied droit se détendit, heurta les galets du fond, et, sans le vouloir vraiment, mû par une force inconnue, il commença à remonter, d'abord lentement, puis de plus en plus vite, quand l'instinct de survie se mit à jouer contre sa volonté. Il faillit ouvrir la bouche et boire l'eau qui aurait envahi ses poumons, mais il émergea brusquement sous la lumière des étoiles qui s'allumaient là-haut, et il cria avant de se mettre à lutter contre le courant, heureusement peu violent. Épuisé, il se laissa tomber sur le sable à la pointe de l'île, cherchant à retrouver son souffle, encore étonné de ce qui s'était passé et vaguement déçu de n'être pas allé au bout de ce chemin interdit qui l'aurait définitivement délivré du chagrin.

Il lui fallut dix minutes avant de pouvoir se remettre debout, et, encore tremblant sur ses jambes, regagner la petite anse où sa barque était amarrée. Il y monta, demeura assis un long moment sur la planche d'où il ramait, écoutant la nuit et le fleuve dans une sorte de désespoir glacé, puis il se résigna à traverser, accosta, et rentra lentement chez lui, où la mère, inquiète, l'attendait devant la porte. Il eut la sensation qu'elle avait deviné ce qui s'était joué là-bas, sur la rive opposée, mais elle ne lui dit rien. Il entra dans sa maison avec la conscience aiguë d'y entrer pour la dernière nuit et la conviction que jamais, au cours de ses treize ans, il n'avait connu un tel désespoir.

C'était le soir du 30 août 1933. Il devait s'en souvenir toute sa vie.

DEUXIÈME PARTIE
Les lueurs rouges de la ville

6

La ville ne ressemblait pas du tout à ce qu'Étienne avait imaginé. Ce n'étaient pas la grisaille et la laideur redoutées, mais des murs de brique rose ou crépis d'ocre, de larges avenues bordées de platanes, des quais ouverts à toutes les lumières du ciel, des parcs où la verdure lui rappelait celle de vergers sur le chemin de Montalens. Il régnait dans les rues une sorte de gaieté malicieuse, une chaleur humaine qui l'avaient surpris, à mesure qu'il les avait parcourues, depuis les Minimes jusqu'aux allées Jean-Jaurès, du quartier de Marengo où logeait son oncle cheminot jusqu'au quartier Saint-Cyprien où Étienne habitait avec sa mère, près de l'Hôtel-Dieu, dans un appartement situé sous les toits d'un petit immeuble de trois étages.

La Garonne, elle, ne ressemblait guère à celle de la vallée – elle était plus large, paresseuse, mais elle charriait la même odeur de limon et de vase, une odeur qu'il respirait chaque matin en se rendant à l'usine, et qui semblait vouloir lui dire qu'il n'avait pas tout perdu, même si les journées lui paraissaient longues devant l'emboutisseuse Priss dont, en quinze jours, il avait appris à se servir, non sans appréhension.

Celle qui était chargée de lui montrer comment travailler – une femme d'une cinquantaine d'années qui était énorme, vêtue d'un tablier noir souillé de graisse, et qui portait deux amusantes griffes de moustaches au coin des lèvres – lui avait expliqué :

— C'est pas comme un marteau-pilon qui se contente d'écraser. Une emboutisseuse donne une forme à la plaque de métal que tu lui présentes. Et cette forme, c'est celle du poinçon que tu vois, là, en haut, prêt à descendre. Tu comprends ?

— Oui.

— Alors, à ton pied, là, tu as la pédale, et quand tu appuies, le poinçon s'abat et il écrase le métal avec une pression de plusieurs tonnes. Tu lâches la pédale, le poinçon remonte et s'arrête. Tu retires la pièce emboutie et tu en places une autre. Mais tant que tu ne rappuies pas sur la pédale, il ne se passe rien.

Ce n'était pas très difficile. Sans vouloir se l'avouer, il était fier de rapporter chaque semaine à sa mère quelques francs, d'autant que, contrairement à la promesse de l'oncle Henri, elle ne serait embauchée qu'en janvier prochain. Étienne n'était pas payé comme un ouvrier, et ne partageait pas le même atelier que les hommes. Il était entouré de femmes, âgées pour la plupart, qui étaient rémunérées à la pièce, et qui, pour aller plus vite, malgré l'interdiction, calaient la pédale afin que le poinçon redescende aussitôt remonté à son point de départ. Il frappait alors le métal de la pièce à emboutir avec une violence à laquelle les doigts d'une main négligente ne résistaient pas. Mais les femmes gagnaient ainsi de précieuses secondes et parvenaient à emboutir plus de trois mille pièces à l'heure. À deux francs les mille, cela faisait plus de six francs de l'heure.

Il apprit également que si le contremaître fermait les yeux sur cette habitude, il se montrait sans pitié pour celles qui se blessaient en perdant deux ou trois doigts. On ne les revoyait jamais. Il ne manquait pas de candidates à l'embauche, chaque matin, aux portes de l'usine. Son oncle Henri, qui connaissait ces pratiques, lui avait interdit de bloquer la pédale, et sa mère avait fait jurer à Étienne de ne jamais recourir à ce dangereux procédé : ils avaient de quoi vivre avec leurs économies jusqu'à ce qu'elle travaille en janvier.

Il avait donc découvert deux mondes : celui, violent et sombre, de l'usine, et celui, riant et chaleureux, d'une ville où les hommes paraissaient heureux de vivre malgré leurs difficultés. Et dès qu'il avait un moment de libre, Étienne partait sur les rives de la Garonne, et plus volontiers encore, dès qu'il l'eut découvert, sur les quais du canal du

Midi, dans le quartier des Minimes, où les platanes, sur les rives, lui rappelaient si bien ceux de sa vallée.

— Tu ferais mieux de venir avec moi au syndicat ! lui reprochait son oncle.

— Laisse-le, disait sa mère. Il a bien le temps.

— Il n'est jamais trop tôt pour apprendre à se défendre.

— Quand il aura seize ans, qu'il travaillera avec toi, il viendra, tranchait sa mère.

— J'espère bien ! concluait l'oncle. Sans le syndicat, j'en serais pas où j'en suis aujourd'hui, et vous non plus, d'ailleurs !

Deux mois après leur départ, Étienne, un dimanche, était revenu à Montalens par le train du matin, et il était rentré le soir, dans la nuit qui tombait, au terme d'une journée pluvieuse où il avait erré le long du fleuve, sans rencontrer Lina qui ne rentrait que tous les mois. Il avait trouvé Eugène qui avait manifesté une agressivité à laquelle Étienne ne s'attendait pas. De toute évidence Eugène lui en voulait, et il ne pouvait ignorer pourquoi.

— Où est ma barque ? avait demandé Étienne.

— Je l'ai rentrée. Elle servait plus à rien.

— Et Lina, tu l'as vue ?

— Elle est revenue une fois. Une seule.

— Tu lui as parlé ?

— Tu sais bien qu'elle a peur de moi.

Eugène avait raccompagné Étienne sur une cinquantaine de mètres, demandé en lui serrant la main :

— Tu crois que tu reviendras un jour ?

— Je sais pas, avait dit Étienne.

Et cette indécision, tout à coup, l'avait mis mal à l'aise, lui donnant la sensation coupable d'une trahison vis-à-vis d'Eugène mais aussi de la part la plus secrète de lui-même. Il était alors reparti vers le village où il avait erré dans les rues quasiment désertes, était entré dans la cour de l'école en espérant que le maître l'apercevrait et viendrait lui parler, mais en pure perte : le dimanche, le maître et sa femme rendaient visite à leur famille, du côté d'Agen. Ne se décidant pas à partir vers la gare, Étienne était alors redescendu vers le fleuve, et il avait frappé à la porte de la maison de Lina, sachant qu'il y trouverait la mère. Elle s'y trouvait, effectivement, par la force des choses, et ses lamentations exaspérèrent rapidement Étienne :

— Si encore elle revenait tous les huit jours ! Mais non : elle ne rentre que tous les mois. Comme si je n'existais pas ! Comme si on ne comptait plus pour elle, maintenant qu'elle va devenir instruite. Son père en est tombé malade !

« N'importe quoi ! se dit Étienne. Il lui tapait dessus et maintenant il voudrait faire croire qu'il regrette son départ. Ce qu'ils regrettent, tous les deux, c'est le travail qu'elle accomplissait. Elle a bien fait de partir et de les oublier. J'espère qu'un jour elle ne reviendra plus du tout. »

Il lui sembla, ce soir-là, dans le train du retour, qu'il la comprenait mieux, et que, peut-être, elle avait eu raison depuis le début : ces jours où, sur le chemin de l'école, elle ne rêvait que de départ, de grandes villes inconnues, d'une autre vie que celle, étroite et sans horizon, qu'ils menaient au bord du fleuve. Mais il se dit également que s'il raisonnait ainsi, c'était peut-être parce que les mauvais jours étaient là, et bientôt le brouillard, le froid de l'hiver. Au printemps prochain, et surtout dès les premiers jours de l'été, il songerait sans doute davantage aux rives du fleuve, à sa barque et à l'île où il avait été si heureux.

Dès le lendemain, la dureté du monde de l'usine se manifesta à deux mètres de lui, quand la Priss écrasa trois doigts de la main d'une femme prénommée Germaine, qui habitait elle aussi dans le quartier Saint-Cyprien, et avec laquelle il rentrait quelquefois, le soir. Ce qui le frappa, surtout, ce fut le cri, et, tout de suite après, le sang qui giclait de la main écrasée par le poinçon. Il s'était précipité pour lui venir en aide, mais le contremaître, aussitôt prévenu, lui avait ordonné de se remettre au travail, tandis qu'on emmenait la pauvre femme dont la main droite venait d'être recouverte d'une serviette déjà entièrement rouge.

S'il s'accommodait tant bien que mal de cette vie, c'était parce qu'il se savait délivré des contraintes de l'école, mais surtout parce qu'il se sentait grandir en travaillant parmi les adultes, et devenir plus autonome, plus indépendant. Les ouvriers de l'atelier contigu à celui de la Priss ne le repoussaient pas, au contraire : ils l'accueillaient volontiers parmi eux à la pause de midi, et, s'ils lui adressaient rarement la parole, Étienne découvrait un monde dont il avait ignoré l'existence : un monde de combat, d'une extrême dureté qui le mettait mal à l'aise. Les communistes et les socialistes s'y opposaient farouchement – valets de Moscou pour les uns, valets du capital pour les autres – mais ils se retrouvaient le lendemain au même endroit, pour discuter des deux cents familles, de Cachin, de Blum, des radicaux – qu'ils appelaient des radis : mi-rouges, mi-blancs –, des ligues, de Maurras, des élections dans un peu plus de deux ans, pronostiquant enfin la victoire du peuple, celle à laquelle, de l'avis général, il avait droit.

Étienne ne comprenait pas tout lors de ces discussions, mais il se renseignait auprès de son oncle, au cours des repas, chez lui, où sa femme, Alberte, lui menait la vie dure. D'où le fait – prétendait la mère d'Étienne – que l'oncle préférait passer tout son temps libre à son syndicat, où là, au moins, personne ne contestait son autorité. Malgré ses efforts, Étienne ne parvenait pas à s'habituer vraiment à sa nouvelle vie, et, pour l'oublier, il pensait souvent à Lina qui lui avait écrit et proposé une rencontre à Toulouse un dimanche de la fin novembre. Il avait accepté, même si, il ne pouvait l'ignorer, le fait de la revoir allait lui faire repenser à la vallée heureuse, plonger de nouveau dans ses eaux caressantes auxquelles il rêvait chaque jour.

Le mois d'octobre n'avait été pour Lina qu'un immense bonheur, dès qu'elle avait pénétré dans les locaux de l'École primaire supérieure, à Castelsarrasin, sa valise en carton bouilli à la main. Le premier soir, en sortant de la gare, elle avait suivi les jeunes filles dont elle avait fait la connaissance dans le train, et qui, passé la passerelle sur le canal, s'étaient hâtées vers l'imposant bâtiment de l'EPS dont Lina avait franchi l'immense porte à doubles vantaux sans la moindre appréhension. Et pourtant la discipline, rythmée par des horaires d'une régularité que nul ne devait contester, lui était apparue très stricte dès ce premier soir.

Comme une surveillante le lui avait ordonné, elle avait posé sa valise dans le long couloir gris, ensuite elle s'était rendue au réfectoire, puis elle avait rangé ses affaires et s'était couchée dans le dortoir sans chauffage. Elle n'avait pas dormi. Elle avait rêvé à tout ce qui l'attendait, et, dès le lendemain, s'était habituée sans difficulté à sa nouvelle vie : à six heures, la cloche sonnait pour la première fois, il fallait se lever aussitôt, faire sa toilette devant le lavabo en zinc, puis descendre à la cordonnerie pour cirer ses chaussures, ranger son casier, prendre à sept heures le petit déjeuner et enfin, le ménage de l'internat étant assuré par les élèves, se charger du travail indiqué par une surveillante : le balayage d'un dortoir, d'un escalier ou le nettoyage d'un lavabo.

Ce n'est qu'à huit heures que Lina descendait dans la salle d'étude pour préparer sa serviette de la journée, choisissant les livres et les cahiers qui lui seraient indispensables durant les cours qui ne commençaient qu'à huit heures et demie, annoncés par la cloche impitoyable du concierge dont le bonnet de laine grise effrangée provoquait les moqueries des élèves. Et c'est alors que tout s'éclairait : ce que Mélina avait espéré, souhaité de toutes ses forces, lui était révélé par des professeurs dont elle buvait les paroles, suspendue à leurs lèvres, enthousiasmée, bien que muette, par ce savoir, cet horizon qui s'ouvrait dès les premiers mots, cet accès immédiat, sans barrières, à la connaissance, à des secrets qui soudain n'en étaient plus, à des beautés de langage qui la laissaient au bord des larmes.

Tout n'avait été qu'enchantement, rien ne l'avait rebutée. Elle était libre, enfin, d'étudier, loin des corvées de sa mère ou des tracasseries de son père. Elle avait le temps, de cinq heures à sept heures, de se pencher sur ses cahiers et ses livres dont elle caressait de la main la couverture protégée par du papier bleu nuit, de percer leurs mystères, d'apprivoiser ce monde qu'elle avait longtemps cru interdit.

Le fleuve, le village, sa famille et même Étienne lui semblaient loin, perdus dans un univers qui s'éloignait sans qu'elle en souffre le moins du monde, bien au contraire : elle savait intimement que sa réussite, son avenir, passaient par le refus de ce qui lui avait été imposé pendant treize ans, et qu'il serait temps, une fois parvenue au bout du chemin de lumière qu'elle avait emprunté, de retrouver celui ou ceux qui seraient dignes d'elle. Étienne était de ceux-là, elle n'en doutait pas. Elle avait la conviction qu'elle allait vers lui et qu'elle saurait le retrouver le jour où elle le déciderait.

En attendant, elle travaillait sans une minute de répit, se familiarisait avec les us et coutumes de l'école, comme la distribution du pain à quatre heures et demie et l'ouverture par une surveillante de la salle à provisions. Le premier mois, ignorante de cette possibilité d'apporter un peu de beurre ou de confiture, Lina s'était contentée, avec une pointe d'envie, de chercher comment elle allait pouvoir se procurer, chez elle, une petite caisse et un cadenas. Mais très vite elle avait possédé les trois clés, comme ses camarades : la première pour son pupitre, la deuxième pour son armoire à linge, la troisième pour la caisse à provisions.

Elle ne se sentait inférieure à personne, car elle avait compris dès le début qu'elle était capable d'obtenir les meilleures notes de sa classe. Et cette supériorité-là, même si elle attisait quelques jalousies, suffisait à la faire admettre dans le cercle des plus privilégiées : filles de commerçants, d'artisans, de grands propriétaires qui portaient comme elle la blouse censée supprimer les différences de milieu social. Elle apprit également qu'elle pouvait écrire, en cachette, lors de l'étude du soir, des lettres auxquelles, normalement, on ne pouvait se consacrer qu'à l'étude du jeudi ou du dimanche matin. C'est ainsi qu'elle put écrire à Étienne, et faire poster sa lettre par une externe, Magali M., avec qui elle s'était liée d'amitié dès les premiers jours, du fait qu'à cause de leurs patronymes elles s'étaient trouvées côte à côte en salle de classe. Magali était une jeune fille d'une extrême vitalité, toujours souriante, avec des cheveux roux et des yeux d'un vert très clair, dont les parents possédaient à Castelsarrasin la plus grande pâtisserie de la région.

Dès le deuxième matin, sans que Lina lui demande rien, Magali avait partagé avec elle, au cours de la récréation de dix heures, les trésors délicieux dissimulés dans un petit sac qu'elle portait à l'épaule droite.

— Pourquoi moi ? l'avait interrogée Lina qui n'était pas habituée à tant de sollicitude.

— Pourquoi pas toi ? avait répliqué Magali avec son sourire lumineux qui semblait envoûter les professeurs comme les surveillantes.

Elle avait été ravie de poster la lettre destinée à Étienne, comme s'il s'agissait pour elle de participer à une activité clandestine et coupable.

— C'est ton amoureux ? avait-elle demandé à voix basse.

— Oui, avait avoué Lina sans la moindre hésitation, flattée de pouvoir répondre par l'affirmative à une telle question.

— Quelle chance tu as !

Et elle avait supplié Lina de lui parler d'Étienne, son ami d'enfance au bord du fleuve, aujourd'hui ouvrier à Toulouse. Désormais elles partageaient ce secret, d'autant qu'Étienne avait écrit à l'adresse de Magali – qui avait obtenu l'autorisation de sa mère –, car les correspondances étaient surveillées par la direction de l'EPS : seuls les parents pouvaient écrire à leurs enfants. Cette complicité les avait rapprochées encore davantage. Et lors de chaque récréation, sur les insistances de son amie, Lina racontait sa vie là-bas, décrivait Étienne, leur barque et l'île, la nuit qu'ils avaient passée dans les bras l'un de l'autre après s'être perdus.

Elle attendait avec impatience la fin du mois de novembre pour prendre le train pour Toulouse et le revoir enfin. Ses parents se passeraient d'elle. Lors de sa précédente sortie d'octobre, sa mère n'avait cessé de se plaindre, de lui reprocher de vivre loin d'elle et de la laisser seule, désormais, sans le moindre secours. Lina avait passé la journée à faire le ménage, la vaisselle, la lessive, tout en essayant de ne pas accorder d'importance aux paroles de sa mère.

Elle ne s'était pas rebellée, car elle se méfiait : qui savait si son père, brutalement, ne déciderait pas de la retirer de l'EPS ? Elle n'avait que treize ans. Seule, sans doute, la pensée qu'un jour, grâce à son instruction, sa fille gagnerait de l'argent, l'avait convaincu d'accepter son départ, d'autant qu'en attendant, elle ne lui coûtait rien, au contraire : des bourses qu'elle avait obtenues son père ne lui donnait que quelques francs, payait l'EPS et gardait le reste pour, disait-il, dédommager la femme du village qui veillait sur la mère de Lina. Non ! Décidément, il n'y avait rien à espérer de ce côté-là. C'était bien la même résignation, la même étroitesse d'esprit, la même misère morale. Tout ce que Lina avait souhaité fuir.

Ce fut donc sans le moindre remords qu'à la fin du mois de novembre elle prit la direction de Toulouse au lieu de celle d'Agen et qu'elle regarda défiler à travers la vitre du compartiment de troisième classe les peupliers, les prairies, les champs et les routes qui l'accompagnaient vers la grande ville dont elle avait tant rêvé.

Comme il l'avait promis, Étienne l'attendait à la gare Matabiau. Ils s'embrassèrent, mais s'écartèrent aussitôt, comme s'ils se sentaient gênés de se trouver ainsi parmi la foule des passagers, alors qu'ils avaient l'habitude d'être seuls. Étienne lui prit la main, l'entraîna à l'extérieur, et dès qu'ils eurent quitté le hall gigantesque envahi par la fumée des locomotives, ce fut bien, pour elle, l'enchantement qu'elle avait imaginé. Il faisait beau, pas froid du tout, tandis qu'ils empruntaient les allées Jean-Jaurès qui les conduisaient vers le centre-ville, des allées ruisselantes de la lumière neuve du matin, envahies par les fiacres, les omnibus à cheval, les automobiles, les piétons pressés mais souriants qui ne paraissaient même pas remarquer les vitrines des magasins, alors que Lina ne cessait de s'émerveiller à leur découverte, s'arrêtant tous les dix mètres en prenant Étienne à témoin.

— Elles sont plus belles place du Capitole, lui dit-il pour l'inciter à avancer.

Ils débouchèrent sur le terre-plein cimenté de la grande place par la rue Lafayette, où Étienne fit pénétrer Lina sous les arcades, face à l'hôtel de ville, et il l'invita à s'asseoir à la terrasse d'un café. Là, il la reconnut vraiment, telle qu'elle était depuis toujours : fine et brune, la peau mate, ses yeux noirs crépitant d'éclairs de lumière, et ses deux fossettes si émouvantes aux joues. Et comme Lina, émerveillée, ne pouvait prononcer le moindre mot, il lui expliqua ce que représentait cette place pour les Toulousains : le cœur de la cité, le centre vers lequel menaient toutes les rues, le siège du conseil municipal, l'antique résidence des Capitouls.

Tandis qu'ils dégustaient leur café, elle l'observait du coin de l'œil et le trouvait changé : plus grand, plus sûr de lui, et avec, dans le regard, une sorte de gravité qui l'étonnait.

— Tu vois, lui dit-elle, que j'avais raison !

Et, comme il ne répondait pas :

— Je ne me suis pas trompée.

— Il y a la ville et il y a l'usine, dit-il.

Il ajouta, comme elle paraissait ne pas comprendre :

— Les journées sont longues devant la Priss.

Il raconta de quoi il s'agissait, mais ne s'attarda pas sur les dangers du poinçon. Au contraire, il lui parla des ouvriers près desquels il travaillait, et il sembla à Lina qu'il avait pris pied dans un domaine auquel elle demeurait étrangère. Elle en eut un pincement au cœur, mais qui ne dura pas.

— On va passer par le pont Neuf, et je te montrerai les ateliers, dit-il en se levant, non sans avoir payé avec une assurance qui, de nouveau, surprit Lina.

Elle eut la conviction qu'il s'était habitué en peu de temps, Étienne, et cette constatation la ravit, tandis que par la rue Saint-Rome ils marchaient vers la place Esquirol, où, une nouvelle fois, Lina fut abasourdie par toutes ces richesses entrevues, cette foule sur les trottoirs, ce vacarme où la vie explosait dans des rires, des invectives, des saluts lancés à haute voix, comme si tout le monde se connaissait.

À l'extrémité de la rue de Metz, ils atteignirent le pont Neuf, d'où, sur leur droite, on apercevait l'Hôtel-Dieu, et, sur les quais, à gauche, des usines et des entrepôts parmi lesquels Étienne désigna du doigt l'usine Mécalav où il travaillait. Elle fit « oui » de la tête, pour lui montrer qu'elle l'avait vue, mais elle ne s'y attarda pas : son regard s'attachait à la Garonne dont les eaux étaient basses et dont l'odeur de limon et de vase montait jusqu'à eux, semblable à celle qu'elle respirait depuis son enfance.

— C'est bien la même, dit-elle à Étienne, avec une sorte de joie qui la fit se serrer contre lui.

Il sourit et répondit :

— Pas tout à fait. Là-bas, elle était libre, et ici elle est enfermée entre les murs des quais.

Elle lui ressemblait, en somme, et Lina comprit que c'était ce qu'il voulait suggérer. Ils demeurèrent un long moment accoudés au parapet, silencieux, à présent, penchés vers ce fleuve près duquel ils s'étaient connus et qui les réunissait aujourd'hui, dans une sorte de continuité rassurante de leur vie.

— Elle n'a pas la même couleur, souffla Étienne.

— Mais si ! fit-elle en riant.

Il se redressa brusquement en disant :

— Viens ! Ma mère nous attend.

Dans le prolongement du pont Neuf, la rue

de la République les conduisit vers la petite rue Réclusane à l'extrémité de laquelle on apercevait l'hospice Saint-Joseph. Au milieu de cette rue étroite et moyenâgeuse se trouvait l'immeuble à trois étages où habitaient Étienne et sa mère.

— Tu lui as dit que je venais ? demanda Lina dans l'escalier de bois qui sentait l'eau de Javel.

— Bien sûr ! Elle nous attend pour midi.

Sur le palier, Étienne entra sans frapper, et Lina découvrit le petit logement où il vivait avec sa mère : une cuisine, un lavabo, une pièce un peu plus grande et, au fond, un paravent qui ne dissimulait un lit qu'à moitié. Dans le prolongement de cette pièce, une chambre dont la porte, entrouverte, laissait apparaître une chaise sur laquelle étaient posés des vêtements – ceux d'Étienne, sembla-t-il à Lina. Cela sentait aussi l'eau de Javel, comme dans l'escalier, mais ce n'était pas une odeur désagréable. C'était une odeur de propre, d'intérieur bien tenu, de ménage pauvre mais sain.

La mère d'Étienne embrassa Lina avec une émotion sincère, et l'invita à s'asseoir à la table ronde recouverte d'une toile cirée.

— Ça fait plaisir de te voir ! ajouta-t-elle, en apportant une soupière qui montrait qu'elle n'avait rien perdu des habitudes du village.

Étienne s'était assis à la droite de Lina et semblait un peu gêné de se trouver là, si près d'elle et si loin à la fois, à cause de la présence de sa mère. Quand tous trois furent servis, celle-ci dit à Lina :

— Alors ? Tu nous racontes ?

Elle ne se fit pas prier, Lina, pour évoquer l'EPS, ses professeurs, ses études, les matières qu'elle préférait – le français et l'histoire –, la vie qu'elle menait, en somme, depuis qu'elle avait quitté le village, comme eux qui l'écoutaient avec un intérêt non dissimulé, étonnés de la découvrir si passionnée par un univers si difficile à imaginer. La mère d'Étienne, surtout, en concevait un peu de regret pour son fils qui n'avait pas poursuivi ses études, mais elle le cachait de son mieux. Étienne, lui, tout en dévorant un morceau de porc et des pommes de terre cuisinés en ragoût, ressentait à quel point sa vie était différente de celle de Lina, après avoir été si semblable, quand ils se retrouvaient le matin sur le chemin de l'école, et qu'il l'attendait sous le pont de la voie ferrée. Était-il possible que de nouveau un jour leurs deux vies se rejoignent ? Il le pensait de moins en moins au fur et à mesure que Lina parlait. Et quand elle s'arrêta, subitement, après avoir à peine goûté au ragoût, elle devina à quel point il s'interrogeait et regretta de s'être montrée si volubile.

Ce fut la mère qui relança la conversation en lui demandant si elle était revenue à Montalens depuis la rentrée d'octobre, mais Lina répondit brièvement, comme si cette évocation brisait le charme qui s'était installé depuis le début du repas. Elle préféra les questionner sur Toulouse, la grande ville qu'elle découvrait, et la mère se déclara heureuse de leur nouvelle vie tandis qu'Étienne, lui, se taisait.

Ce n'est que plus tard, quand ils se retrouvèrent seuls sur les quais du port Saint-Cyprien, qu'il voulut bien se livrer un peu, alors que, assis sur un banc, ils regardaient couler paresseusement la Garonne. Il évoqua les ouvriers parmi lesquels il s'était fait des amis, l'oncle Henri et son syndicat, les différents partis qui se battaient entre eux, mais il se tut rapidement, pour ne pas avoir à donner de détails sur ces conflits qu'il ne comprenait pas vraiment.

— Et ce travail ? fit-elle. C'est pas trop dur ?

— Non. Je ne bloque jamais la pédale.

— La pédale ?

Il dut expliquer de quoi il s'agissait et il le regretta, car elle eut peur, soudain, de ce monde dont elle ne soupçonnait pas la violence – un nouvel univers qui, lui sembla-t-il, le mettait en danger.

— Ne t'inquiète pas, dit-il en devinant ses craintes, je changerai bientôt d'atelier.

Plus tard, quand il la raccompagna vers la gare, en faisant un long détour pour lui montrer le canal du Midi et ses platanes, elle lui dit gravement, en plantant son regard dans le sien :

— Tu sais, je viendrai un jour.

Il hocha la tête, sourit.

— Ne regrette rien, fit-elle. Il n'y avait rien pour nous là-bas.

Il ne répondit pas, mais il revit la maison au bord du fleuve, Eugène, sa barque, le village où ils allaient à l'école et tout cela lui parut très loin, alors que cela faisait seulement deux mois qu'il les avait quittés. Était-ce possible ?

— Tu n'y reviendras pas ? fit-elle, souhaitant être rassurée définitivement.

— Je ne sais pas, répondit-il.

Ils ne parlèrent plus jusque dans le hall de la gare, où ils se séparèrent hâtivement, sans s'embrasser. Pourquoi ? Ils auraient été bien incapables de le dire. Peut-être pour ne pas accorder trop d'importance à une séparation dont ils savaient qu'ils allaient souffrir l'un et l'autre. Ce fut au moment de monter dans le wagon que Lina lança, dans un sourire :

— Je reviendrai pour les vacances de Noël.

— Oui, dit-il. Je t'attendrai.

Mais il rentra lentement chez lui en se demandant s'il la reverrait. Il avait senti qu'un gouffre se creusait entre eux, qui, peut-être, serait de plus en plus difficile à combler. Ce n'était pas clairement défini en lui, mais cette sensation dura toute la soirée et même pendant les jours qui suivirent, il ne parvint pas à s'en délivrer.

Lina vécut une semaine dans le souvenir ébloui

de ce dimanche, jusqu'à ce qu'une surveillante, le vendredi soir, entre dans la salle d'étude en lançant à son adresse :

— Mélina Machenaud ! Chez la directrice !

Qu'est-ce que cette convocation pouvait bien signifier ? Elle tenta d'interroger la surveillante qui ne lui répondit pas, et au contraire lui manifesta de l'hostilité en la conduisant dans le couloir sombre, et tellement redouté, des bureaux de la direction. Tout au fond, la surveillante frappa à une porte puis, une voix de stentor ayant dit d'entrer, elle ouvrit et fit signe à Lina de passer. Celle-ci entendit la porte se refermer dans son dos avec un frisson glacé, car la directrice s'était dressée de toute sa taille, et elle était très grande, avec un visage osseux, des yeux immenses et noirs, des cheveux ramenés en arrière en un chignon sévère. Lina avait fait sa connaissance le jour de son inscription, mais ne l'avait pas revue depuis. La directrice demeurait un personnage mystérieux et redoutable, qui affirmait à distance une autorité dont les professeurs et les surveillantes craignaient les convocations brutales et immanquablement suivies de graves conséquences.

— On dit « bonjour, madame la directrice », si ça ne vous dérange pas trop !

— Bonjour, madame la directrice ! fit Lina d'une voix à peine perceptible.

— Et vous répondez, s'il vous plaît, à haute et

intelligible voix ! Si un jour vous enseignez, il faudra vous faire entendre de vos élèves !

Bien éloignée de penser à ce jour si lointain, Lina répéta aussi fort qu'elle le put la formule de politesse indiquée. Plusieurs secondes passèrent, qui lui semblèrent durer indéfiniment. Le regard d'oiseau de proie ne la quittait pas, alors qu'elle s'efforçait de se tenir droite, de ne pas trembler. Quel crime avait-elle bien pu commettre ?

— Mélina Machenaud, fit la voix dure et sèche, c'est bien vous ?

— Oui, madame.

— Madame la directrice !

— Oui, madame la directrice !

— Vous allez donc pouvoir m'expliquer un mystère.

Et, comme Lina ne respirait plus, ou à peine :

— Qu'est-ce que signifie cette lettre ?

Et la directrice montra une feuille de papier sur son bureau, que Lina prit pour une lettre d'Étienne. Puis elle pensa qu'il écrivait à Magali, pour éviter, précisément, un éventuel contrôle. « Qu'est-ce qui a bien pu se passer ? songea-t-elle. Ce n'est quand même pas Magali qui m'a trahie ! »

— Une lettre de vos parents, mademoiselle Machenaud, qui s'inquiètent de ne pas vous avoir vue dimanche dernier.

Lina en fut presque soulagée, mais elle comprit

qu'un piège se refermait sur elle quand la directrice demanda :

— Vous avez quitté l'EPS, pourtant. Pouvez-vous me dire où vous êtes allée ?

Et elle ajouta, d'une voix où perçaient de la colère et de l'indignation :

— Puis-je vous rappeler, mademoiselle Machenaud, que vous êtes mineure et donc placée sous ma responsabilité ?

Que répondre ? Que faire ? Lina chercha désespérément une réponse satisfaisante et, n'en trouvant pas, se troubla.

— En agissant ainsi, vous avez trahi ma confiance et la confiance de ceux qui vous ont accordé ces bourses qui vous permettent d'étudier aux frais de la République. J'exige une réponse immédiate, mademoiselle, sinon vous vous exposez à des sanctions bien plus graves que vous ne l'imaginez.

Affolée, Lina bredouilla :

— Je suis allée à Toulouse.

— À Toulouse ? Tiens donc ! Et pourquoi à Toulouse ?

— J'ai de la famille là-bas.

— De la famille ? À Toulouse ? Cela ne figure pas dans votre dossier.

— Madame Combanel et son fils Étienne.

La directrice parut contrariée.

— Ils ne font pas partie de vos correspondants. Vous n'aviez pas le droit d'aller chez eux.

Elle ajouta aussitôt :

— Dois-je vous rappeler que si j'en crois cette lettre votre mère est paralysée ?

— Oui, c'est vrai.

— Et elle a besoin de vous.

Lina hocha la tête.

— Alors dites-moi si la morale que l'on vous enseigne en classe tous les matins vous est compréhensible ou non.

— Je la comprends, madame la directrice.

— À la bonne heure ! Vous la comprenez ! Voilà qui me réjouit. Mais puisque c'est le cas, pourquoi ne la mettez-vous pas en application ?

— J'y suis allée le mois dernier, souffla Lina.

— Et cela vous paraît suffisant pour aider une mère paralysée ?

Lina se tut, accablée.

— Répondez s'il vous plaît à cette question !

— Non, madame.

— Madame la directrice !

— Non, madame la directrice.

— Bien ! Et maintenant parlez-moi de cette famille à Toulouse.

— On était voisins au village. Le père est mort et ils sont partis pour du travail là-bas.

— Qui a signé le bon de sortie que j'ai là, sous les yeux, et qui est censé l'être par vos parents ?

Lina ne répondit pas. « Cette fois ça y est, je suis perdue, songea-t-elle. Vite ! Étienne, s'il te plaît, souffle-moi ! »

— Vous n'allez pas me dire que vous l'avez signé vous-même ?

Devant le silence accablé de Lina, la directrice comprit qu'elle était aussi coupable de ce faux en écriture.

— Est-ce que vous vous rendez compte, mademoiselle, de la situation indéfendable dans laquelle vous vous êtes mise ?

Lina hocha la tête, puis murmura :

— Je ne pensais pas à mal : je suis allée chez des amis.

— En infraction à tous les règlements de l'école.

Et la directrice ajouta, d'une voix glacée :

— Dont vous risquez l'exclusion, tout simplement.

— Non, dit Lina, affolée. Non ! S'il vous plaît !

— Il est bien temps de mesurer à présent la gravité de vos actes. Vous allez avoir toute la nuit pour y réfléchir. Je vous reverrai demain à onze heures pour vous faire connaître la sanction que vous avez méritée.

Et elle conclut par ces mots terribles :

— Vous pouvez préparer votre valise ! Et maintenant disparaissez !

Lina s'enfuit avec la conviction que tout était perdu : les études, ses rêves, l'avenir qu'elle avait imaginé, tout ce qui l'avait poussée à combattre un destin qui semblait joué d'avance. Ses camarades de l'internat ne réussirent pas à la rassurer : elle avait beau les écouter, ses larmes ne tarissaient pas. Les derniers mots, surtout, de la directrice, tournaient dans sa tête, ne la quittaient pas : « Vous pouvez préparer votre valise. » Était-il possible qu'elle soit chassée de l'EPS alors qu'elle avait tant bataillé pour y parvenir ? « Si c'est le cas, je me tuerai », se répéta-t-elle une bonne partie de la nuit, avant que le sommeil, enfin, vers quatre heures, ne la délivre de ces pensées funestes.

Elle n'écouta rien des deux cours du matin qui la séparaient du jugement fixé à onze heures et faillit se faire punir par le professeur de français pour son inattention, puis elle prit à l'heure prévue la direction du bureau de la directrice, accompagnée par Magali jusqu'au couloir maudit.

— N'aie pas peur ! N'aie pas peur ! conseillait sa camarade, mais elle tremblait autant que Lina.

Elle arriva pourtant devant la porte redoutée en se demandant comment elle avait pu l'atteindre, puis elle frappa deux coups timides à la porte, en espérant que personne n'y répondrait.

— Entrez ! cria une voix qui lui parut encore plus menaçante que la veille.

Lina ouvrit, fit quelques pas, salua comme il le fallait, puis se figea devant la grande ombre qui s'était levée, derrière le bureau en bois massif couvert de dossiers. « Elle me fait peur, songea-t-elle. J'ai jamais vu des yeux pareils. C'est une femme sans pitié. Étienne, sauve-moi ! »

— Avez-vous bien dormi, mademoiselle Machenaud ?

— Pas très bien, madame la directrice.

— Tant mieux ! Vous avez ainsi pu méditer sur votre comportement indigne de notre école !

Un lourd silence succéda à cette inquiétante entrée en matière.

— J'ai consulté vos professeurs ce matin à la première heure. Tous me disent à quel point vous êtes brillante et réfléchie. Pourquoi ne l'êtes-vous donc pas en matière de morale et d'attention envers vos parents ?

Et, comme Lina demeurait muette, ne sachant si elle devait évoquer son père ou pas :

— Répondez, s'il vous plaît !

— Je ne pensais pas mal agir. Je regrette.

De nouveau un profond silence s'établit, durant lequel Lina se sentit transpercée, fouillée par ce regard qu'elle ne pouvait fixer.

— Regardez-moi, mademoiselle ! fit la voix, qui, lui sembla-t-il, pour la première fois, avait légèrement fléchi.

Lina fit un terrible effort sur elle-même pour lever les yeux vers le visage si osseux, si dur, si froid qu'il la fit frissonner.

— Eu égard à vos qualités si peu ordinaires, j'ai décidé de ne pas prononcer à votre encontre une exclusion définitive. Vous allez réfléchir chez vous pendant huit jours à votre comportement inexcusable auprès de vos parents, et de votre mère en particulier. À l'avenir, vous sortirez tous les quinze jours, et non plus tous les mois pour vous occuper d'elle. Vous devrez me rendre le lundi un rapport écrit sur tout ce que vous aurez fait pendant la journée du dimanche.

Lina comprit qu'elle était sauvée, et à partir de ce moment-là, elle se sentit prête à tout accepter, même à revenir plus souvent dans un foyer qu'elle ne souhaitait que fuir.

— Est-ce que vous m'avez bien comprise ?

— Oui, madame la directrice.

— Il s'agit d'une exclusion de huit jours. En cas de récidive, vous ne ferez plus partie de l'EPS.

La directrice contourna son bureau, se figea devant Lina et demanda :

— Est-ce que c'est clair ?

— Oui, madame la directrice.

— Vous partez donc ce soir et vous rentrerez dimanche soir prochain. Vous ferez signer la notification de la sanction à vos parents.

Alors que Lina s'apprêtait à s'en aller, la directrice lui prit le menton dans sa main droite, la força à lever la tête, et décréta :

— Vous rattraperez leçons et devoirs à votre retour. Vos professeurs sont prévenus.

Lina fit demi-tour, pensa « sauvée ! Je suis sauvée ! » mais elle eut un vertige et dut s'appuyer à la porte avant de l'ouvrir. Elle sentit un bras la soutenir, puis elle entendit la voix redoutée se manifester tout près d'elle :

— Ça ira ?

— Oui, madame.

Et avant que la porte ne se referme, elle bredouilla :

— Merci, madame.

La directrice reprit :

— Allez ! Mon enfant !

Lina repoussa la porte, puis elle se précipita vers Magali qui l'attendait à l'extrémité du couloir et se réfugia dans ses bras.

7

Le mois de février de cette année 1934 avait arraché les dernières feuilles des platanes de la rue d'Alsace. Le cortège des manifestants, au milieu duquel se trouvait Étienne, arrivait au carrefour de la rue de la Pomme, lançant des slogans vengeurs à l'adresse des Croix-de-Feu du colonel de La Rocque et des Camelots du roi, qui, la veille, à Paris, avaient tenté d'envahir le Palais-Bourbon, conspuant les députés aux cris de « Tous pourris ! », « À bas la République ! ». Un des manifestants avait tiré, la police avait répliqué, faisant douze morts et six cents blessés. Ce soir-là, Étienne, malgré ses réticences, avait suivi les ouvriers de la Mécalav vers la maison des syndicats où il avait été décidé une riposte massive dès le lendemain. Il y avait retrouvé son oncle Henri qui s'était réjoui de le voir et lui avait dit en le prenant par l'épaule :

— Enfin, gamin ! Tu auras mis le temps !

Et la riposte, cet après-midi-là, c'était ce cortège de milliers d'ouvriers : cheminots, plombiers-zingueurs, charpentiers, ouvriers de la métallurgie, des chantiers de l'aviation, du bâtiment, qui criaient : « Le fascisme ne passera pas ! Halte aux deux cents familles ! Vive la République ! » Face à eux, au carrefour, des membres des Jeunesses patriotes et de l'Action française surgirent en criant : « La France aux Français ! », « Vive Maurras ! » Malgré le service d'ordre, les ouvriers qui marchaient en tête de cortège se ruèrent sur eux, provoquant une bousculade qui tourna très vite à l'affrontement. Les gardes mobiles qui avaient été postés rue d'Astorg reçurent alors l'ordre d'intervenir et se précipitèrent vers les manifestants occupés à s'empoigner. Mais ils étaient si nombreux que les gardes se heurtèrent à un mur et qu'ils durent se replier en désordre vers la rue de Metz où ils se regroupèrent avec ceux qui étaient arrivés en renfort depuis la place Esquirol.

Les membres des Jeunesses patriotes désertèrent rapidement la rue de la Pomme, abandonnant le champ de bataille aux ouvriers, qui, ivres de ce succès, commencèrent à arracher des pavés, dès qu'une voix eut lancé, venue d'on ne savait où : « Une barricade ! Vite ! Une barricade ! » En quelques minutes, poussés par des bras impatients, surgirent dans la rue une voiture de maraîcher, des caisses de toutes sortes, une échelle et trois tonneaux dérobés dans un atelier voisin.

Étienne se sentait gagné par une fièvre inconnue, porté par cet élan qui paraissait capable de tout renverser. Des mains, des bras se mêlaient aux siens, tandis qu'il essayait de desceller des pavés au bord de la rue, là où ils étaient plus faciles à extraire du macadam. Il se trouvait à deux mètres de la barricade quand un effrayant bruit de sabots se manifesta : ceux des chevaux lancés par les gardes mobiles à l'assaut des manifestants.

Parvenus devant l'obstacle, les chevaux se cabrèrent mais ne purent le franchir. Quelques coups de sabre partirent cependant, portés par les gardes les plus proches, dont l'un atteignit un ouvrier qui cria et tomba. Fous de rage, ceux qui étaient en première ligne lancèrent les pavés à portée de leur main, ce qui provoqua un reflux des gardes, salué par les cris de victoire des manifestants. Une sorte d'euphorie se répandit parmi les ouvriers, au milieu desquels Étienne se demandait où se tenait son oncle, qu'il n'apercevait plus, mais il ne s'en inquiétait pas : dans cette euphorie qui l'avait gagné lui aussi, c'est à peine s'il entendit les sabots des chevaux qui revenaient au trot après avoir contourné la barricade par la place de l'église Saint-Jérôme. Il n'y avait plus d'obstacle entre eux et les manifestants.

Étienne ne le constata qu'au dernier moment, alerté par les cris de ses voisins qui s'étaient retournés. Il comprit qu'ils étaient pris au piège et que le seul moyen d'échapper aux gardes civils était d'escalader la barricade, mais il n'était pas le seul à avoir eu cette idée, et le flot des manifestants, devant lui, s'accumulait au lieu de s'écouler. Il tomba, se releva, perçut un grand bruit derrière lui, tandis qu'il arrivait contre la voiture renversée, et qu'il tentait de se hisser par-dessus. Il ressentit un choc d'une violence inouïe dans son dos, une immense douleur irradia son bras droit, mais dans un dernier sursaut d'énergie il bascula de l'autre côté et se mit à courir en espérant n'être pas pris en tenaille par d'autres gardes à l'extrémité de la rue de la Pomme. Des ouvriers couraient à ses côtés en criant, il sentait ses jambes trembler sous lui, mais il les suivait comme il le pouvait et, au bout de la rue, ils tournèrent à gauche au lieu de prendre la rue d'Astorg, pour s'échapper par la rue Saint-Antoine-du-Tour.

Étienne courait, courait, et il lui semblait qu'il courait vers l'école, Lina près de lui, ses pensées se brouillaient, il ne savait plus où il se trouvait. Il s'arrêta brusquement, son regard descendit vers son bras douloureux. Alors seulement, il vit le sang, et il sentit qu'il s'effondrait sur le trottoir de la chapelle Notre-Dame-des-Grâces, au départ des allées Jean-Jaurès.

Il revint à lui un peu plus tard, près de la gare Matabiau où il avait été transporté par des manifestants en retraite. Il aperçut son oncle penché sur lui, comprit que les ouvriers s'étaient retranchés près du quartier Marengo où logeaient les cheminots, et où les gardes civils ne s'aventureraient pas. Il était allongé près de la passerelle, et s'étonnait de voir tant de visages inquiets autour de lui, tandis que l'oncle disait :

— T'inquiète pas, gamin ! C'est le baptême du feu.

Un homme jeune, en bras de chemise, et portant de fines lunettes cerclées, écarta les ouvriers et s'accroupit auprès d'Étienne.

— Poussez-vous ! dit l'oncle. Laissez passer le toubib !

L'homme libéra le bras d'Étienne de sa chemise et son tricot à grosses mailles, essuya le sang, posa un pansement de gaze sur la blessure, puis il lui prit le poignet et fit manœuvrer le bras d'avant en arrière et de haut en bas. La plaie rougissait de nouveau sous la gaze, au milieu du biceps, et le médecin s'employa à arrêter l'hémorragie.

— Je ne pense pas qu'il soit fracturé, dit-il. Je vais le panser et l'immobiliser. Ça devrait aller.

Quand ce fut fait, il demanda à Étienne s'il se sentait la force de se lever, et il l'aida à se mettre debout, lui d'un côté, l'oncle Henri de l'autre. Comme Étienne paraissait solide sur ses jambes, le médecin s'éloigna sans même demander à être payé, et les deux hommes furent entraînés par les derniers manifestants qui refluaient vers le refuge sûr de Marengo. Là, l'oncle Henri confia Étienne à sa femme et partit vers le dépôt où sa présence était indispensable.

— C'est ta mère qui va être contente ! lança sa tante à Étienne.

Et il dut écouter ses divagations pendant de longues minutes, tout en songeant à son bras qui allait l'empêcher de travailler. Il se comporta comme l'oncle Henri qui s'était habitué aux récriminations perpétuelles de sa femme et n'y répondait pas. Puis, prévenue par un syndicaliste que l'oncle avait dépêché, sa mère arriva, livide, affolée, et ne put prononcer le moindre mot. Elle s'assit près du lit où Étienne était allongé, et il s'efforça de la rassurer : le médecin avait assuré qu'il n'avait pas de fracture. Il mentit un peu en déclarant qu'il n'avait pas mal, et la pauvre femme se détendit un peu.

Quand l'oncle revint, beaucoup plus tard, il dut essuyer les foudres des deux femmes alliées pour la circonstance, mais il ne se déroba pas et, au contraire, il félicita Étienne :

— Faut savoir ce qu'on veut dans la vie ! dit-il.

Et il ajouta, après un discours offensif sur la situation politique, tranchant définitivement la question :

— Ton père serait fier de toi !

Dans son univers clos de l'EPS, Lina ignorait tout de ce qui se passait à l'extérieur en ce début d'année. Les orages du monde, les luttes et les combats de la vie politique n'entraient pas dans l'école de la République où l'on se consacrait aux études, et uniquement aux études. Elle avait réussi à se rendre à Toulouse une journée lors des vacances de Noël, mais depuis elle revenait tous les quinze jours dans la maison du fleuve et suivait scrupuleusement les recommandations de la directrice, faisant signer son bulletin de sortie par sa mère, et rédigeant un rapport sur ses activités à la maison.

Ces dimanches-là, elle n'avait qu'une hâte : reprendre le train du soir et repartir vers l'EPS. Non seulement elle devait écouter les lamentations de sa mère, mais aussi celles de son père qui, avait-il déclaré, était menacé d'une mise à pied à cause du manque de travail.

— Qu'est-ce qu'on va devenir ? soupirait la mère.

Et s'adressant à Lina :

— Si encore tu pouvais travailler, toi !

Lina relatait ces conversations dans le devoir qu'elle remettait à la directrice, à la fois pour montrer qu'elle tenait ses engagements, mais aussi dans l'espoir secret de trouver du secours. Car son père, un soir, avait rejoint la mère sur ce point :

— Si je perds mon travail, il faudra bien que tu nous aides.

Qu'est-ce que cela signifiait ? Qu'elle devrait quitter l'EPS ? Abandonner ces études qu'elle avait tant espérées ? Ces craintes, qu'elle ne dissimulait pas, lui valurent une nouvelle convocation dans le bureau tant redouté, un lundi soir, et elle les confirma devant la directrice qui s'en était émue.

— Cela serait dommage, mademoiselle Machenaud, car vous êtes l'une de nos plus brillantes élèves. Malheureusement, il n'est pas dans mes attributions de me substituer aux parents de mes élèves. Tout ce que je peux vous promettre, c'est de tenter une démarche auprès d'eux pour essayer de les convaincre !

Il sembla pourtant à Lina qu'elle avait trouvé une alliée, et pas n'importe laquelle. Elle retrouva alors un peu d'espoir, d'autant qu'avec les beaux jours son père cessa de parler de chômage, les travaux ayant repris sur les routes. Elle put se consacrer aux études avec une fièvre et une force décuplées par la menace qui pesait sur elle. Rien ne la rebutait : ni la discipline exercée par des surveillantes implacables, ni le rude enseignement des professeurs qui, elle le comprit bientôt, avaient été sensibilisés à son cas par la directrice. Mais ils n'en étaient que plus exigeants vis-à-vis d'elle, sachant que le temps pressait, qu'elle pouvait à tout moment quitter l'EPS.

Aussi Lina profitait-elle de chaque instant, de chaque minute de cours et d'étude, et même la détente quotidienne de vingt heures à vingt et une heures la voyait un livre à la main, alors que ses camarades, réunies par groupes et se tenant par les bras, faisaient le va-et-vient dans la cour, en poursuivant des conversations qui provoquaient des rires et des plaisanteries auxquels, souvent, elle se sentait douloureusement étrangère. Alors elle s'éloignait vers l'extrémité de la cour et rêvait à Toulouse, à Étienne, à ce que serait leur vie, là-bas, car elle ne doutait pas de le rejoindre un jour. Elle lutterait, elle se battrait, elle obtiendrait le brevet, même si elle ne devenait pas maîtresse d'école, elle trouverait facilement du travail en passant un concours.

Pourtant ce début de renoncement qu'elle feignait d'accepter, déjà, la révoltait. Elle se sentait victime d'une injustice et elle souffrait intimement, comme d'une blessure profonde.

— T'inquiète pas ! lui disait Magali, toujours fidèle et secourable. Je t'aiderai, moi !

Pour se changer les idées et moins penser à l'avenir, elle essaya d'apprendre à danser avec ses camarades, les samedis soir où elle demeurait à l'école. Il y avait un vieux piano dans la pièce où elles se réfugiaient les jours de pluie pendant les récréations, et l'une d'entre elles savait en jouer. Elle était brune, grande, délicate, réservée, et elle était aussi devenue amie avec Lina, malgré tout ce qui les séparait : Béatrice était originaire de Montauban, et son père était un pasteur protestant. À l'exemple de Magali, elle aussi promettait son aide à Lina, mais comment pourrait-elle s'exercer si elle devait un jour quitter l'école ?

Et comment oublier cette menace qui pesait

sur elle, dont elle ne se délivrait jamais ? Même les dimanches où Lina ne partait pas à Montalens, elle y pensait au cours de ces promenades, en rangs par deux, qui les conduisaient dans la campagne environnante où elle retrouvait des parfums, des sensations de là-bas, d'autant que ces sorties se faisaient toujours en direction de la Garonne, et que, si là-bas les collines étaient plus lointaines, si la vallée s'ouvrait davantage, le fleuve, lui, était bien le même. Lina, alors, s'isolait sur la berge, fermait les yeux, respirait son odeur de vase et de limon, mais elle s'imaginait à Toulouse et non pas sur les rives de son enfance. Puis elle sortait de sa poche la dernière lettre d'Étienne, et, refermant les yeux après l'avoir lue, elle commençait à écrire dans sa tête les mots qu'elle tracerait sur le papier pendant l'étude du soir.

Le lendemain les cours reprenaient et occupaient suffisamment son esprit pour lui éviter de penser à ce qui la menaçait. Et que ce soit en mathématiques, en français, en sciences ou en langues, son intelligence s'exerçait toujours de façon aussi remarquable, lui valant les félicitations de ses professeurs. C'était sa consolation ultime, son trésor, l'affirmation d'un succès qui, lui, ne dépendait que d'elle.

Elle vit arriver la fin de l'année scolaire avec appréhension : elle allait devoir vivre dans la maison du fleuve pendant presque trois mois, retrouver la vie quotidienne près de sa mère et de son père alors qu'elle avait conscience de s'en éloigner de plus en plus. Heureusement, elle irait travailler au ramassage des prunes et aux vendanges comme chaque année, même si elle devait donner tout l'argent récolté à ses parents. Ainsi, peut-être, s'affranchirait-elle de ses devoirs vis-à-vis d'eux, et tant pis pour les friandises qu'elle ne pourrait acheter à l'épicerie, au retour des promenades du dimanche. Les pâtisseries de Magali, le lendemain, compenseraient largement cette envie non satisfaite.

Le soir où Lina lui dit au revoir, au début de juillet, Magali voulut lui faire promettre d'aller la voir et de passer quelques jours à Castelsarrasin avec elle au mois d'août. Mais Lina refusa : si elle avait quelques jours de répit aux alentours du 15 août, elle se rendrait à Toulouse. Magali voulut bien la comprendre et l'embrassa. Quand elle quitta l'EPS, sa valise à la main, le lendemain matin, Lina se retourna plusieurs fois et sentit des larmes lui monter aux yeux à l'idée que peut-être elle n'y reviendrait jamais.

Pour Étienne, les événements s'étaient précipités depuis février. Comme il n'avait pu reprendre son poste à l'usine le lendemain de la manifestation, il avait été licencié, officiellement parce qu'il n'y avait plus assez de travail et que les derniers arrivés étaient sacrifiés les premiers. En réalité, il avait été le seul : sa blessure démontrait qu'il avait participé aux manifestations et qu'il se comportait comme un ouvrier syndiqué alors qu'il n'était qu'un apprenti. C'était un agitateur en puissance dont il fallait se débarrasser. L'oncle lui avait expliqué cet état de fait comme une évidence, alors qu'Étienne ne parvenait pas à le croire : il découvrait que ce monde-là – le monde ouvrier et celui des patrons – était un monde bien plus violent, bien plus cruel, qu'il ne l'avait imaginé.

Cependant, depuis janvier, grâce à l'oncle Henri, sa mère travaillait au nettoyage des wagons de la Compagnie du Midi et gagnait de l'argent. Le très modeste salaire d'Étienne avait représenté peu de chose : quelques francs qu'elle lui avait laissés pour son argent de poche. Mais il avait très mal vécu la sanction déguisée de la direction de la Mécalav, et surtout il avait compris que sans vraiment l'avoir voulu, il avait engagé un combat où il ne lui serait fait aucun cadeau.

— Tu vois, je te l'ai toujours dit, avait triomphé l'oncle, il faut se battre dans la vie !

Il avait ajouté, se voulant rassurant devant la mine tour à tour déconfite et furieuse d'Étienne qui, une fois seul, se réfugiait dans le souvenir des heures paisibles sur la rivière à Montalens :

— T'inquiète pas ! Je vais te trouver autre chose !

Et il avait tenu parole, un mois plus tard, un

mois au cours duquel Étienne était revenu une fois sur les rives de la Garonne, où la maison qu'il avait habitée avec ses parents avait été louée à une autre famille. Il avait revu les rivages paisibles, Eugène de plus en plus hostile, les parents de Lina toujours aussi grincheux, et il avait souffert de ces changements qui, lui semblait-il, menaçaient ce monde qu'il regrettait tellement : sans travail, la vacuité des journées, l'inutilité de sa vie l'avaient rendu à ses rêves d'enfant et lui avaient fait envisager sérieusement un retour vers le fleuve.

Pourtant l'oncle l'avait présenté à un imprimeur, dont l'atelier se trouvait rue de la Garonnette, pas très loin des quais, et celui-ci avait pris Étienne comme apprenti. En fait, cet imprimeur, qui s'appelait Marius Lefebvre, ne pouvait rien refuser aux syndicats, car il ne travaillait que pour eux. C'était une sorte d'anarchiste lunaire, dont l'idéalisme l'avait conduit plusieurs fois à la faillite, mais qui avait été sauvé par le renflouement de ceux qui avaient besoin de lui pour leurs affiches, leurs programmes, leurs tracts, tous les documents que refusaient les autres imprimeurs de la ville.

Marius Lefebvre avait embauché Étienne en lui promettant simplement quelques pourboires, mais en lui assurant qu'au moins il apprendrait un métier. Étienne n'était pas seul dans l'atelier d'imprimerie : deux ouvriers plus un prote faisaient tourner les machines avec lesquelles

Étienne devait se familiariser, tandis que Marius, un homme aux yeux bleus et aux longs cheveux blancs, discutait à longueur de journée avec ses visiteurs, toujours les mêmes : anarchistes, libertaires, tous pleins d'espoir dans le mouvement ouvrier en marche, c'est-à-dire dans « l'Internationale ouvrière pacifiste » consolidée depuis que le « cinglé » qui gouvernait l'Allemagne menaçait d'écraser sous sa botte ceux qui prétendaient lui résister.

Étienne avait découvert ce monde d'encre et de papier avec soulagement, car, même s'il lui rappelait l'école, il lui donnait surtout la sensation d'être entré dans l'univers des textes imprimés, et donc du savoir. Il avait rejoint Lina, en somme, qui, d'ailleurs, avait été impressionnée par la description qu'il lui avait faite par lettre des machines qui se trouvaient à l'imprimerie et des activités multiples qu'elles permettaient.

Au fond, près des hautes rangées de casses de la typographie, œuvrait le prote, c'est-à-dire le chef d'atelier, qui s'appelait Paul Sagasse et que tout le monde surnommait « Cordocou », car son cri de ralliement, quand il avait fini un travail, était toujours le même : « On les pendra ! » Étienne, au début, s'était demandé qui devrait être pendu, mais Gino, le second de Sagasse, qu'on appelait « le Rital », lui avait expliqué qu'il s'agissait des deux cents familles censées faire prospérer leur fortune sur le dos des ouvriers. Les parents de Gino étaient venus en France au début des années vingt pour trouver du travail. Il était entré très jeune comme apprenti chez Marius, mais aujourd'hui il était capable d'effectuer les compositions les plus compliquées sur le marbre qui séparait la typographie des trois machines de l'imprimerie : une Centurette, une Phénix et une Gordon.

Elles étaient actionnées par Gino et par Tonin, le plus vieil employé de l'atelier, qui avait passé la soixantaine et mâchait continuellement un mégot jaune, mais qui savait parfaitement maîtriser ces machines mal entretenues, et, une fois qu'elles étaient en marche, s'occupait du massicot, de l'emballage et du brochage sur une immense table encombrée de chutes et d'outils divers. C'est près de lui qu'Étienne faisait ses premiers pas, non sans difficulté, car Tonin parlait peu. Il lui montrait une fois comment faire et puis il retournait à son ouvrage, et ne s'occupait plus de lui. Heureusement, Gino venait fréquemment donner un coup de main, sous le regard irrité du prote qui s'en prenait souvent à Marius, le patron, non seulement pour son incapacité à organiser rationnellement le travail, mais surtout parce qu'il était communiste, et que Marius ne rêvait que de Trotski et de Bakounine. Gino, lui, tenait plutôt pour les socialistes, et Tonin pour les radicaux, ce qui lui valait les sarcasmes de tout l'atelier.

Ainsi, au fil des conversations, Étienne assistait aux affrontements des partis incarnés par des personnages hauts en couleur, et qui se disputaient sans cesse sous l'œil indulgent et résigné de Marius Lefebvre. Étienne s'était lié d'amitié dès le début avec Gino, qui l'avait invité à boire un verre le premier soir, et qui, à l'imprimerie, volait à son secours dès qu'il était en difficulté.

Chaque fois qu'Étienne rencontrait l'oncle Henri, celui-ci s'enquérait de son travail et le mettait en garde contre les idées de Marius :

— Écoute plutôt Cordocou. C'est lui qui parle juste. Et méfie-toi du Rital : c'est un valet du capital.

Mais Étienne se sentait bien avec Gino : il lui paraissait moins sectaire, moins violent, du fait que ses parents et lui-même avaient trouvé en France du travail et en vivaient normalement.

— Ils n'ont qu'à aller voir en Italie ou en Espagne comment ça se passe ! Moi, la France, elle m'a donné à manger. J'ai pas envie de me faire embrigader par les Soviets.

Ainsi, au fil des jours, sans bien s'en rendre compte, Étienne s'était rapproché de cet homme jeune qui était rentré du service militaire quelques années auparavant, et en conservait un souvenir accablé.

— La guerre, disait-il, on l'aura bientôt.

— Mais non ! intervenait Cordocou. Avec l'Internationale socialiste, pas un ouvrier allemand n'acceptera de se battre contre un ouvrier français.

Marius Lefevbre, lui, haussait les épaules. Les libertaires ne se battraient jamais pour le grand capital : ils déserteraient, tout simplement.

— Je te cacherai, disait-il à Étienne, avec ses yeux délavés, presque blancs, qui lui donnaient un air d'enfant égaré, d'une extrême fragilité.

On avait envie de le protéger, et pourtant il était là, encore, à près de soixante ans, dans une imprimerie qu'il avait créée lui-même, et qui servait de lieu de rendez-vous à tous les paumés de la ville. C'était un va-et-vient incessant entre les rames de papier, les affiches prêtes à être livrées, les chutes, les bas de casse jamais rangés comme il le fallait. Les discussions sans fin mettaient Cordocou hors de lui et elles se terminaient souvent par des coups de balai, quand il avait décidé, à bout de patience, de jeter tout le monde dehors. Y compris Marius, qui suivait alors les expulsés jusqu'au bistrot voisin de la Jeannette, une veuve aux cheveux filasse qui devait peser plus de cent kilos, afin de mettre au point le régime politique idéal pour l'humanité.

Quand les pourboires des livraisons étaient trop faibles, Marius glissait à Étienne une pièce ou deux à la fin de la semaine, et il murmurait en le prenant par les épaules :

— Espère, petit ! Espère !

Étienne se sentait mieux car il n'avait plus peur de la Priss qui avait menacé ses doigts et dont la crainte, pendant des mois, lui avait dérobé le sommeil. Désormais, il travaillait sans souci et découvrait les quartiers les plus reculés de la grande ville lors des livraisons qu'il effectuait sur une bicyclette qui tirait une petite carriole à deux roues. Elles le conduisaient souvent vers la gare Matabiau et, du haut de la passerelle, il regardait partir les trains vers des destinations inconnues en pensant à Lina. Mais très vite, une piécette en poche, il revenait vers l'imprimerie où Cordocou l'accueillait toujours par ces mots :

— T'es allé retrouver ta belle ? T'en as mis, du temps !

— Laisse-le ! disait Gino. Il fait ce qu'il peut. Si t'es pas content, t'as qu'à y monter, sur la bécane !

Marius, lui, souriait, et reprenait la conversation entamée avec le délégué d'un parti venu commander une affiche pour une prochaine réunion. Étienne se remettait au travail en écoutant la conversation sur le congrès de Tours, qui datait de 1920, mais dont les conséquences dressaient encore les communistes contre les socialistes.

Ainsi passaient les jours, dans une effervescence au sein de laquelle Étienne, initié quotidiennement aux idées des uns et des autres, comprenait un peu mieux les dissensions qui les opposaient. Mais, malgré ses efforts pour y participer, et même s'il prenait parfois la parole pour voler au secours de Gino, il y demeurait étranger, comme s'il appartenait toujours à un autre univers

– celui qu'il avait quitté et qui était, lui semblait-il parfois, avec un pincement douloureux dans le cœur, inexorablement perdu.

Il présenta son ami à Lina venue un dimanche du mois d'août – elle avait menti à ses parents en leur affirmant qu'elle allait voir son amie Magali –, mais il fut déçu de constater qu'elle n'accordait à Gino aucune attention et qu'elle souhaitait seulement rester seule avec lui. Après le repas pris dans l'appartement de la rue Réclusane, Étienne conduisit Lina sur le quai de la Garonnette, entra dans l'imprimerie qui n'était jamais fermée à clé, lui montra les machines, le marbre, les casses, mais elle ne manifesta de nouveau que de l'indifférence et se hâta de ressortir en lui demandant de l'emmener place du Capitole, dans ce café où ils étaient allés lors de sa première visite. Il fut contrarié de la sentir si distante, étrangère à son univers quotidien, mais il ne le montra pas, et, au contraire, fit en sorte de la satisfaire.

Là, assis à une terrasse parmi la foule des Toulousains endimanchés, elle se laissa aller au plaisir de ne rien faire, fermant les yeux pour sentir le soleil caresser son visage, un sourire heureux sur ses lèvres. Il faisait chaud, très chaud, cet après-midi-là, et Lina était vêtue de la même robe légère qu'elle portait à Montalens, l'été, une robe d'un rouge grenat à pois blancs, qui laissait découvertes ses épaules, et, du fait qu'elle avait grandi, lui arrivait aux genoux. Une vague de souvenirs revint alors à Étienne, qui murmura :

— Là-bas, on se baignait. Tu te souviens ?

— Je me souviens, mais je préfère être là, dit-elle d'un ton qui trahissait l'appréhension de le voir manifester des regrets.

Et elle ajouta aussitôt, pour changer de sujet de conversation :

— Mon père craint de se retrouver au chômage.

— C'est la crise, dit Étienne, tout le monde est menacé.

Elle se tourna légèrement vers lui, comme pour vérifier s'il avait compris où elle voulait en venir, mais il ne lui sembla pas.

— S'il se retrouve sans travail, reprit-elle, ils me retireront de l'EPS.

Étienne sursauta en réalisant tout à coup ce que cela signifiait.

— Mais non ! s'insurgea-t-il. Ils ne feront pas une chose pareille !

— Ils me l'ont dit ! fit-elle, en réprimant un sanglot.

— Mais non ! répéta-t-il avec une assurance qui réconforta Lina. Je ne les laisserai pas faire ça !

Elle n'osa pas lui demander comment il envisageait d'agir, car elle craignait d'être déçue. La fermeté de la réaction d'Étienne, en cet instant, lui suffisait. Elle désirait profiter pleinement du soleil et de l'animation joyeuse de la place, de l'espoir d'un avenir dans cette ville, de la présence d'Étienne qui paraissait presque un homme, aujourd'hui, car il avait beaucoup grandi.

— Mais toi, raconte-moi ! fit-elle.

Et elle l'écouta cette fois avec une attention qui fit plaisir à l'apprenti imprimeur qu'il était devenu. Il lui cacha sa blessure au bras lors de la manifestation de février, mais ne dissimula rien de la charge des cavaliers contre la barricade et de la bataille qui s'en était suivie.

— Il n'y a pas eu de blessés, au moins ? interrogea-t-elle.

— Non ! dit-il en comprenant qu'il était allé un peu loin.

Il se sentait fier, mais en même temps, de nouveau, il la devinait très éloignée de ce monde qu'il avait découvert et, d'une certaine manière, cela le rassurait.

— À quoi penses-tu ? demanda-t-elle.

— À toi, qui vas devenir institutrice.

Elle ne répondit pas, effaça rapidement une larme qui perlait sur sa joue, et, pour fuir l'émotion qui la gagnait, elle prétendit qu'il était l'heure de revenir vers la gare et se leva. Ils avaient le temps, mais elle aimait ces rues, cette vie bourdonnante, ces gens si différents de ceux qu'elle avait connus, et le seul fait de flâner lui faisait oublier la menace qui pesait sur elle. Quand elle quitta Étienne, une heure plus tard, sur le quai de Matabiau, elle demanda avant de l'embrasser :

— Tu m'aideras, c'est sûr ?

— Mais oui ! Je te le promets.

Elle s'éloigna rassurée car elle n'avait jamais douté de lui, et, dès le lendemain, elle reprit son travail : la journée dans les vergers et le soir dans la maison où sa mère devenait de plus en plus désagréable. Mais, dès lors, elle compta les jours qui la séparaient de la rentrée, et elle redouta chaque soir de voir son père rentrer avec une mauvaise nouvelle. Même les vendanges de septembre ne la délivrèrent pas de l'obsession qui la hantait. Son père se montrait de plus en plus hostile lors des repas, elle devinait qu'il se trouvait de nouveau en difficulté, que ce qu'elle craignait allait arriver.

Cela se produisit le soir du 22 septembre, quand il lui annonça d'une voix morne et sèche qu'il allait se trouver en chômage partiel et que donc elle allait devoir travailler. Alors, pour la première fois elle trouva la force de se rebeller et d'assurer qu'elle s'enfuirait et les laisserait seuls.

— Tu es mineure, cria-t-il. Tu feras ce qu'on te dira !

Elle se précipita au-dehors et courut dans la nuit, seule, perdue, désespérée, appelant au secours tous ceux qui l'aimaient.

Elle suivit un long moment la rive du fleuve, se penchant de temps en temps vers l'eau haute et sale d'une crue qui l'effrayait, puis elle descendit sur la rive, fit un pas, mais les remous menaçants, le froid qu'elle en ressentit dans tout le corps la firent frissonner et elle retourna sur ses pas, se mettant à courir dans la direction opposée. Elle se dirigea alors vers la gare où elle se réfugia dans le hall désert et s'endormit sur une banquette. Ce fut le chef de gare qui la réveilla une heure plus tard, peu avant que le train de nuit de Toulouse n'arrive.

— D'habitude vous partez le matin, lui dit-il. Qu'est-ce qui se passe ?

— Rien, fit-elle.

Et, comprenant qu'elle devait se justifier :

— Mon amie m'attend à Castelsarrasin.

Il hocha la tête, puis s'éloigna, apparemment convaincu par cette explication. Le train arriva, elle partit, somnola tout le temps du trajet, descendit à Castelsarrasin, erra dans les rues jusqu'au matin, puis se réfugia dans la pâtisserie des parents de Magali dès son ouverture, à sept heures. Là, après s'être expliquée, elle trouva un peu de réconfort en présence de son amie, tandis que la mère, une forte femme qui régentait énergiquement sa maison, prétendait s'occuper du problème. De fait, elle disparut à neuf heures et revint un peu plus tard en ordonnant à Lina de la suivre.

— Où donc ? demanda celle-ci.

— Tu verras bien.

La mère la conduisit directement à l'EPS où elle s'était entretenue précédemment avec la directrice. Celle-ci ne parut pas étonnée de revoir Lina une semaine avant la rentrée. Elle la réprimanda pour sa fugue, mais ne l'accabla pas, au contraire.

— Je vous ramènerai moi-même en début d'après-midi, décida-t-elle. Comme ça je pourrai parler à vos parents.

Rassurée d'avoir trouvé un secours de cette importance, Lina remercia puis repartit avec la mère de Magali qui, une fois chez elle, la gava de gâteaux et de sucreries. Elle s'aperçut alors qu'elle n'avait même pas songé à se rendre à Toulouse auprès d'Étienne pour y chercher de l'aide. Mais elle ne le regretta pas : elle ne doutait pas d'avoir découvert un appui bien plus solide, dans cette épreuve, en la personne de sa directrice.

Ayant trop mangé de pâtisseries, elle eut du mal à se nourrir au cours du repas de midi, d'autant qu'elle se demandait ce qui allait advenir. Pour elle, il y avait une incompatibilité majeure entre deux mondes complètement inconciliables : celui de l'EPS et celui de la maison du fleuve. Ils ne pouvaient pas communiquer. Comment une femme si importante, si instruite, si autoritaire, allait pouvoir s'entendre avec sa mère et avec son père ? Cela lui paraissait inconcevable.

Aussi, ce ne fut pas sans appréhension qu'elle monta en tout début d'après-midi dans la Peugeot noire conduite par sa directrice, qui, elle, ne semblait pas le moins du monde troublée par ce qui l'attendait. Lina se tenait coite sur le siège, osant à peine respirer, tandis que l'imposante silhouette, à sa gauche, conduisait à vive allure sur la nationale 113 en direction d'Agen. Et alors qu'elle redoutait d'avoir à livrer des confidences sur ses conditions d'existence dont elle avait un peu honte, c'est à peine si la directrice lui posa des questions au sujet de son père, s'inquiétant seulement de savoir s'il serait présent.

Il ne l'était pas. La mère, affolée par la présence d'une directrice d'école dans sa maison, bredouilla des excuses au sujet de la saleté des lieux, et finit par expliquer où travaillait son mari.

— Du moins pour le moment, finit-elle par ajouter, car à partir du mois prochain il ne travaillera plus que trois jours par semaine.

— Je sais ! la coupa la directrice en entraînant Lina vers la voiture garée devant la porte.

Elles mirent près d'une heure à le trouver sur un chantier dans les environs de La Sauvetat, à l'extrémité d'une petite route de campagne qui semblait ne mener nulle part.

— Restez dans la voiture ! ordonna la directrice à Lina.

Elle descendit, parla à un chef de chantier qui se découvrit devant elle, puis elle s'éloigna et disparut à la vue de Lina qui, complètement paralysée par cette situation inimaginable, se mit à trembler. Mais elle ne resta pas seule longtemps. Dix minutes, pas plus. Puis, alors que Lina s'apprêtait à descendre pour voir comment se comportait son père, la directrice revint de son pas énergique, s'installa au volant, démarra et dit, d'une voix où perçait une colère à peine contenue :

— Tu rentreras le 1er octobre à l'école. C'est entendu.

Elle poussa un long soupir, et reprit de la même voix contrariée :

— Mais c'est égal : j'ai rarement vu un individu pareil !

Il fallut de longues minutes à Lina avant de trouver la force de remercier. Elle apprit le soir même, quand son père rentra, la terrible concession que la directrice avait dû lui consentir : Lina n'irait que jusqu'au brevet. Elle n'entrerait jamais à l'École normale d'institutrices. Mais ce jour-là, pourtant, elle n'eut que reconnaissance et admiration pour cette femme qui venait de se battre pour elle dans des conditions indignes de ce qu'elle personnifiait si remarquablement.

8

À l'occasion du 14 Juillet de l'année 1935, Marius avait donné congé à ses ouvriers, afin qu'ils puissent participer aux diverses manifestations qui devaient animer la ville au cours de la journée.

— Tu viendras ? avait demandé Gino à Étienne.

— Non ! Je dois aller à Montalens.

— Qu'est-ce qui t'y oblige ?

— Rien. J'ai envie d'y aller, c'est tout.

Plus que d'une envie, il s'agissait d'un besoin de replonger dans un autre monde que celui dans lequel il vivait et où il ne se sentait décidément pas à sa place. Avec les premiers beaux jours de l'été, il avait repensé au fleuve, à l'île et à ses plages, à la paix de la vallée, à Eugène vis-à-vis duquel il s'estimait coupable, et qu'il imaginait assis sur sa barque dans les matins étincelants de cette lumière magique impossible à retrouver ailleurs.

— Viens au moins le soir au bal et au feu d'artifice, avait insisté Gino.

— J'essaierai. Je reprendrai le train de six heures.

— Alors on se retrouvera sur la place du Capitole.

— Entendu.

C'est ainsi que le matin du 14, sans le moindre remords tellement il avait besoin de renouer avec ce qu'il avait perdu, Étienne arriva vers neuf heures à la gare de Montalens et prit aussitôt la direction du fleuve. Il savait que Lina n'avait pas de congé ce jour-là, parce qu'elle travaillait aussi le 14 juillet dans les vergers, car la cueillette des fruits ne pouvait pas attendre. Et pourtant, sur le chemin baigné de rosée, il s'attendait à tout moment à la voir surgir devant lui, comme autrefois, comme si rien ne s'était passé – comme si rien ne les avait séparés.

Au fur et à mesure qu'il avançait, il sentait une vague tiède se lever dans son cœur : quelque chose d'infiniment précieux, qui le réconciliait avec la meilleure part de lui-même. Ce n'était pas tout à fait conscient, mais seulement ressenti : il avait la sensation de regagner son véritable foyer, sa vraie demeure. Il se dirigea vers la maison d'Eugène, qui était rentré de la pêche et ravaudait ses filets en fumant son éternelle cigarette.

— Te voilà, toi ! fit le pêcheur, avec, sembla-t-il à Étienne, un reproche dans la voix.

— Oui, c'est moi.

Un lourd silence les sépara un moment, puis Eugène remarqua :

— Tu te languis, là-bas ?

Et, comme Étienne ne répondait pas :

— C'est pas vrai ?

— Ça dépend des jours.

Il n'aperçut pas le regard qui fit crépiter les yeux du pêcheur, lequel proposa aussitôt, comme pour sceller un nouvel accord :

— Tu peux prendre ta barque, si tu veux : je l'ai remise à l'eau.

— Et où se trouve-t-elle ?

— À sa place habituelle.

Eugène ajouta, le sourire aux lèvres :

— Je me doutais que tu viendrais un de ces jours. Tiens ! Voilà une rame !

À peine Étienne prit-il le temps de remercier avant de se mettre à courir vers le fleuve où il embarqua aussitôt en sentant son cœur battre follement dans sa poitrine. Il retrouva aussitôt des gestes familiers, le glissement furtif de la coque sur l'eau, la sensation de pénétrer un autre monde fait de lumière et de silence, un sentiment de liberté absolue que jamais, au grand jamais, il n'avait éprouvé ailleurs.

Tout en descendant vers l'île, il se demanda quel était ce maléfice qui l'avait éloigné de cette vie, songea qu'il avait été victime d'un malheur. Et pourtant à Toulouse, il avait des amis, un travail, sa mère, Lina qui le retrouvait chaque fois qu'elle le pouvait, et il y avait Gino, le frère qui lui avait tant manqué. Mais une vérité profonde, essentielle, terriblement présente, soufflait à

Étienne que la vraie vie, c'était celle de ce matin ruisselant de lumière, ce contact avec un monde qui rendait les hommes petits, humbles, à leur véritable dimension. Alors que là-bas, en ville, ils se croyaient grands, invincibles, se combattaient et ne s'imaginaient même pas que le monde pouvait exister sans eux.

Il accosta dans l'île, attacha la barque à un frêne et se dirigea vers la petite plage de sable fin où il avait l'habitude de s'allonger avec Lina. Mais Lina n'était pas là. Il se coucha tout de même sur le dos, face au ciel, et regarda un moment tourner les milans dans ce bleu de dragée que seul l'été savait répandre dans le ciel, puis il s'endormit d'un coup, sans même s'en rendre compte.

Quand il se réveilla, les clochers aux alentours sonnaient midi. Il mangea le pain et le fromage qu'il avait apportés, enfin le morceau de gâteau qu'avait confectionné sa mère. Il pensa alors au jour où, avec Lina, ils étaient descendus trop loin et n'avaient pu remonter. Il eut envie de faire de même, mais quelque chose, au fond de lui, l'en empêcha. Qu'était-ce donc ? Il s'interrogea en vain durant quelques minutes puis il se baigna longuement et remonta pour se sécher au soleil. Des gouttes d'eau coulaient de ses cheveux vers ses yeux, s'embrasaient au contact de la lumière, l'aveuglaient. Un sanglot venu d'il ne savait où souleva sa poitrine, il recouvrit son corps de sable comme pour s'ensevelir et il comprit alors que s'il souffrait malgré ce bonheur retrouvé, c'était parce que sa vie ne lui appartenait plus, qu'il ne la maîtrisait pas, et qu'on lui en imposait une autre dont il ne voulait pas.

Il s'enfuit, remonta vers la maison d'Eugène, s'assit sans un mot près du pêcheur qui roulait une cigarette, et qui murmura :

— Alors ?

— Je suis allé dans l'île.

— Elle a subi des crues, mais l'eau a apporté du sable sur la petite plage.

— Oui : j'ai vu.

— À la pointe, il y a un brochet de plus d'un mètre. Il m'a déchiré mon filet.

Ils discutèrent encore un moment de pêche, puis ils ne trouvèrent plus rien à dire : quelque chose les séparait, et ils en souffraient.

— Moi, je crois que tu ne reviendras jamais ! dit Eugène à l'instant où Étienne s'apprêtait à le quitter.

Et, comme Étienne demeurait silencieux :

— C'est pas vrai ?

Étienne aurait dû répondre, il le sentit, mais les mots ne purent franchir ses lèvres. Pourquoi ? Il n'aurait su le dire – peut-être simplement n'avait-il pas envie de mentir, puisque l'avenir ne dépendait pas totalement de lui. Il serra la main du pêcheur et s'éloigna rapidement, car il voulait monter au village à travers les vergers pour essayer de trouver Lina, avant de redescendre prendre le train.

Or les équipes de cueillette travaillaient plus loin, et il ne rencontra personne. Une fois à Montalens, comme chaque fois qu'il y revenait, il s'approcha de l'école dont les deux cours étaient désertes, puis il se demanda ce qu'il faisait là, lui qui l'avait toujours détestée. Il salua quelques habitants qu'il reconnut mais qui, eux, ne surent pas mettre un nom sur ce jeune homme étranger.

Alors, désespéré de ne pas avoir vu Lina, il revint vers la vallée en traversant de nouveau les vergers où il mangea une pêche bien mûre, dont le jus coula délicieusement dans son palais. Puis il reprit le train où il se trouva presque seul et regarda défiler les coteaux plantés de vignes et d'arbres fruitiers. Une question, pourtant, tournait dans sa tête : pourquoi repartait-il à Toulouse alors qu'il ne se sentait vraiment heureux qu'à Montalens ? Il ne le savait que trop, hélas ! Mais il se fit la promesse, une nouvelle fois, de regagner un jour les rives du bonheur, de retrouver sa liberté, et, dès cet instant, il se sentit flotter dans une sorte de paix bienheureuse qui ne le quitta plus jusqu'au moment où il posa le pied sur le quai de la gare.

Une fois rue Réclusane, il prit un repas rapide en compagnie de sa mère, mais il ne se résolut pas, contrairement à sa promesse, à rejoindre Gino. Pourtant, des cris, des chants, des airs d'accordéon montaient de la ville et l'attirèrent à la fenêtre.

— Tu ne sors pas ? demanda sa mère.

— Non ! J'en ai pas envie.

Un groupe de jeunes gens passa dans la rue en chantant :

« Tout va bien, tout va bien
Qu'on se le dise
Tout va bien
Ne pensons plus à la crise
Si nous savons la prendre avec gaieté
Ce n'est plus qu'une crise d'hilarité
Tout va bien
Voilà ma devise… »

Étienne eut envie de les rejoindre mais quelque chose en lui le retint : peut-être l'étrange sentiment d'une trahison envers lui-même et ce qu'il avait vécu tout au long de la journée. Un peu plus tard, le feu d'artifice illumina le ciel de la ville de gerbes de feu. Sa mère avait rejoint Étienne à la fenêtre et ils entendaient des acclamations, des « ooh ! », des « aah ! » de ravissement quand les gerbes de toutes les couleurs retombaient en pluie sur les toits. Cela dura longtemps, puis d'un coup le silence revint.

— Que c'était beau ! dit sa mère.

Étienne ne répondit pas. Il l'embrassa, alla se coucher, et il s'endormit avec en lui, délicieusement perceptible, la caresse du bruissement de sa barque contre l'eau vagabonde.

Depuis une semaine, Lina savait que son destin s'était joué, et que cette fois-ci elle ne lui échapperait pas. Son père avait été licencié. Il n'était même plus question de chômage partiel ou d'une mise à pied provisoire : l'entreprise de travaux publics à laquelle il appartenait venait d'être déclarée en état de liquidation. Il n'avait plus de travail, il n'était plus rien, c'était ce qu'il grommelait à longueur de journée, avachi sur sa chaise en sirotant son verre de vin rouge. Et Lina n'en pouvait plus de le voir ainsi anéanti, des lamentations incessantes de sa mère, alors qu'elle-même faisait ménage et vaisselle, s'occupait de tout, comme d'habitude. Mais désormais elle savait : sa vie ne ressemblerait jamais à ce qu'elle avait envisagé.

Elle avait écrit à Étienne, avait rendu visite à Magali et à sa mère qui avait levé les bras au ciel, s'était indignée, avait proposé de recourir à l'aide de la directrice une nouvelle fois, mais Lina avait refusé. Ce qu'elle était venue demander simplement, c'était qu'on l'aide à trouver un travail qui lui rapporte un peu d'argent.

— Je te prendrais bien ici, comme deuxième vendeuse, avait déclaré la mère de Magali, mais tu mérites mieux que ça.

— Non, ça m'irait très bien, avait répondu Lina. Je vous assure.

— J'ai une autre idée, mais laisse-moi un peu

de temps, avait ajouté mystérieusement sa bienfaitrice.

Et Lina était repartie vers Montalens, où, le désespoir au cœur, elle avait rassuré ses parents : on allait lui trouver une place. Elle vivait avec, dans la tête, cette idée qu'elle essayait d'apprivoiser, mais elle n'y parvenait pas. Elle souffrait trop de voir son rêve anéanti. Et chaque fois qu'elle repensait à l'EPS, son corps se contractait, elle ravalait des larmes amères, en voulait au monde entier, à son père, à Étienne, et elle se consumait d'une rage muette qui lui avait fait perdre le sommeil.

Elle ne dormait donc pas, cette nuit-là, pas plus qu'elle n'avait dormi depuis huit jours, et remuait des idées sombres au sein desquelles l'accablement se mêlait à la colère. Elle s'endormit seulement au matin, vers cinq heures, et se leva à sept pour préparer le petit déjeuner de sa mère, parla à peine à son père quand il arriva dans la cuisine et réclama de la soupe. Puis elle vaqua à ses multiples occupations jusque vers dix heures, et c'est alors qu'elle entendit une voiture se garer devant la maison. Elle alla ouvrir et découvrit Magali et sa mère qui, souriantes, l'embrassèrent, puis elles rentrèrent dans la cuisine où le père, dérangé, salua du bout des lèvres, tandis que sa mère invitait les visiteuses à s'asseoir.

En quelques mots la mère de Magali expliqua la raison de sa visite : elle avait trouvé une place pour Lina à Toulouse, chez une de ses amies, originaire de Castelsarrasin, qui était mariée à un grand industriel, et qui avait trois filles en bas âge. Ils s'appelaient Ponthier, possédaient une importante usine de métallurgie qui travaillait pour les chantiers de l'aviation et pour l'armement. Si elle était d'accord, Lina aurait à s'occuper des enfants et serait considérée comme une gouvernante.

— Est-ce qu'elle sera payée ? demanda le père avec agressivité, tant l'idée de voir sa fille s'éloigner lui paraissait inacceptable.

— Bien sûr qu'elle sera payée ! 250 francs par mois.

— J'en gagnais 300, moi.

— Peut-être ! Mais elle sera nourrie, blanchie et logée.

— Et qui va s'occuper de sa mère ?

— Vous ! Puisque vous ne travaillez pas, répondit sèchement la mère de Magali.

— Est-ce qu'au moins elle reviendra le dimanche ? insista le père.

— Tous les quinze jours seulement, et c'est déjà bien.

En entendant le mot « Toulouse », Mélina avait senti son cœur s'emballer. Au fond de son désespoir une petite lumière s'était allumée, et dès lors, elle aurait été capable d'accepter n'importe quoi pour rejoindre cette ville rêvée, où vivait Étienne.

— Qu'est-ce que tu en dis, toi ? s'enquit la mère de Magali.

— Je veux bien aller chez ces gens.

Quitter cette maison noire et sans avenir, vite, à n'importe quel prix ! Voilà ce que lui soufflaient son instinct et sa raison.

— Et ce serait pour quand ? demanda sa mère.

— Dès le mois d'août. Il faudrait accompagner la famille au Pays basque où elle prend ses vacances, et s'occuper des enfants.

Après Toulouse, le Pays basque, les vacances ! Lina n'en croyait pas ses oreilles. Elle eut peur quand son père tenta une nouvelle fois de négocier au sujet de ses retours dans la maison du fleuve, mais il finit par capituler à l'instant où la mère de Magali précisa :

— Elle vous aidera avec son salaire.

— Et comment dites-vous qu'ils s'appellent, ces gens-là ?

— Ponthier. Simone est née à Castelsarrasin, comme moi. C'est une amie. Votre fille ne manquera de rien chez eux, et ils pourront peut-être l'établir plus tard, quand elle sera en âge de se marier.

La mère de Magali ajouta, dans un ultime argument qui lui parut décisif :

— Ils disposent d'une grande fortune. C'est une chance pour la petite.

Il y eut quelques secondes de silence durant lesquelles Lina redouta une nouvelle objection de son père, mais il finit par décider :

— C'est entendu, à condition qu'elle revienne tous les quinze jours.

— C'est d'accord ! Je vous l'ai déjà dit.

Il sortit, apparemment satisfait, tandis que la mère de Lina, enfin, songeait à remercier celle qui s'était entremise avec tant d'efficacité. Le regard de Lina croisa celui de Magali qui était demeurée silencieuse, mais complice, car elle savait à quel point son amie rêvait de Toulouse. Le sourire qu'elles échangèrent à ce moment-là était bien un sourire de victoire et non de défaite ou de renoncement. C'était en effet Magali qui avait renseigné sa mère en lui expliquant que rien ne pouvait compenser l'accablement de Mélina à quitter l'EPS, sinon trouver du travail dans la grande ville où vivait Étienne.

Elles sortirent, attendirent près de la voiture la mère de Magali qui réglait les derniers détails avec celle de Lina.

— Alors ! se réjouit Magali. Qu'en dis-tu ?

— Merci ! fit Lina. Je me sentais tellement mal. Je ne te remercierai jamais assez.

— Tu vois ? Tout arrive. Il faut toujours espérer.

La mère de Magali apparut, s'approcha de Lina, lui prit le menton entre les mains, demanda :

— Alors ? Tu es contente ?

— Oh, oui ! Merci, madame !

Elles s'embrassèrent, puis Magali et sa mère montèrent dans la voiture qui s'éloigna rapidement, laissant Lina seule sur le chemin, qui n'osait croire, encore, qu'elle allait pour de bon quitter cette maison où elle étouffait depuis toujours. Et à cette idée, le prix qu'elle allait devoir payer lui parut à cet instant dérisoire. Elle n'avait plus qu'une hâte : fuir vers cette nouvelle vie qui l'attendait et oublier le passé.

La vie avait repris à l'imprimerie où Gino avait fait à Étienne le récit du 14 Juillet, décrivant la foule des manifestants sur les grands boulevards, le bal populaire du soir où il avait dansé jusqu'à deux heures du matin.

— Je t'ai attendu, avait-il reproché à Étienne.

— Je suis resté avec ma mère, avait-il répondu, sachant que cette seule réponse suffirait à son ami.

L'été avait passé, mais Gino s'enthousiasmait encore de l'élan qui portait le Front populaire vers une possible victoire dès les prochaines élections. Les discussions allaient bon train devant les machines et elles étaient animées, surtout entre Marius et Cordocou qui, décidément, ne parviendraient jamais à s'entendre :

— De toute façon, disait Marius, te fais pas d'illusions : que nous prenions ou non le pouvoir l'an prochain, nous n'éviterons pas la guerre. Hitler ne rêve que de revanche et il saisira la moindre occasion pour la déclarer. Il n'a jamais digéré la perte de l'Alsace et de la Lorraine, pas plus que l'humiliation du traité de Versailles, l'occupation de la Sarre et la lourde dette dont il prétend qu'elle a provoqué l'appauvrissement de l'Allemagne et ses millions de chômeurs.

— Peut-être, rétorquait Cordocou, mais la classe ouvrière allemande ne marchera jamais contre les ouvriers français.

— Quelle sottise ! Ils marcheront comme ils ont marché en 14 ! Là-bas les fascistes terrorisent la population et elle obéira au doigt et à l'œil.

Ces discussions n'en finissaient pas, irritaient Étienne et Gino qui évitaient de prendre parti entre un patron anarchiste et un ouvrier communiste. Pourtant l'immense espoir né des manifestations ne cessait de croître, car le Parti radical venait de décider de rejoindre le grand rassemblement populaire, ce qui augmentait les chances de succès aux prochaines élections, mais provoquait l'exaspération des communistes et de certains socialistes :

— Comment faire confiance à Herriot qui a siégé dans le gouvernement Doumergue ? éructait Cordocou.

Pour une fois, Marius Lefebvre était de son avis :

— Il a toujours travaillé avec la droite. Il n'a donné son accord que contraint et forcé.

— Contraint et forcé par qui ? Les socialistes sont capables de toutes les compromissions, tu le sais aussi bien que moi.

Ils s'entendaient quand même sur la nécessité d'une union la plus large possible, Cordocou concluant qu'il ne voulait pas mourir sans avoir vu un gouvernement de gauche pour la première fois dans l'histoire de France.

Le travail pouvait enfin reprendre dans le calme revenu, et Étienne s'appliquait à ramasser les chutes ou à aiguiser la lame du massicot en songeant à Lina qu'il avait revue une fois depuis qu'elle travaillait à Toulouse. Il avait été sincèrement malheureux d'apprendre qu'elle ne pouvait pas continuer ses études. Heureusement, l'abandon de son rêve d'École normale avait au moins eu pour conséquence de la conduire dans la même ville que lui, une ville qu'elle aimait depuis toujours. Et la seule chose qui le chagrinait aujourd'hui, c'était de la voir employée dans une grande famille d'industriels, car elle lui avait raconté sa nouvelle existence avec, dans les yeux et la voix, une joie à ses yeux suspecte. N'allait-elle pas changer en découvrant des conditions de vie différentes des siennes ? Allait-elle oublier d'où elle venait, ce qui les liait ? Il se refusait à le croire, mais il en souffrait.

Quand il l'avait reconduite, lors de leurs retrouvailles, il avait refusé de s'approcher de la grande demeure toulousaine tapie au fond d'un immense parc sur les collines de Ramonville. Lina n'avait pas insisté : elle sentait bien qu'il y avait là entre elle et lui une barrière nouvelle, une sorte de faille dont ils allaient devoir s'accommoder, une frontière entre deux mondes très différents. D'autant qu'il n'avait cessé de l'entretenir de ce qui se passait dans l'imprimerie, des espoirs de victoire pour le nouveau Front, de sa méfiance vis-à-vis des patrons dont, avait-il ajouté, faisaient partie ses employeurs.

— Ils me traitent bien, avait-elle répondu. Je n'ai pas à me plaindre.

Il était reparti contrarié, ce dimanche-là, et dès le lendemain il avait fait part à Gino de ses craintes, du malaise qu'il avait ressenti en présence de Lina.

— T'inquiète pas ! avait dit Gino. Elle n'est pas dupe de tout ça. Le moment venu, elle saura choisir son camp.

— Tu crois ?

— Avec tout ce que tu m'as dit d'elle, j'en suis certain. Il y a des choses qu'on n'oublie jamais.

Étienne était demeuré pensif un instant, puis il avait demandé :

— Pourquoi tu n'es pas marié, toi ? Tu peux me le dire ?

Gino s'était mis à rire en disant :

— Contrairement à toi, je l'ai pas trouvée.

Et, comme Étienne hésitait à le croire :

— Il y en a tellement : je les aime toutes.

Ils avaient plaisanté encore un moment, puis Gino était soudainement redevenu grave et lui avait fait part de ses préoccupations au sujet de ses compatriotes venus en France depuis peu et qui étaient menacés d'expulsion.

— Tu te rends compte ? s'indignait Gino. Tous ces gens qui vont devoir repartir !

— Ce n'est qu'une menace, assurait Étienne.

En fait, il s'inquiétait beaucoup plus des attaques de certains journaux contre ceux qu'ils appelaient les « fainéants en casquette », et il s'indignait de tant de mépris, de tant de haine, lui qui avait été élevé par ses parents dans le respect d'autrui. Cette violence, encore une fois, le décontenançait et l'attristait. Mais cela ne durait pas : ce métier qu'il apprenait avec de plus en plus de satisfaction et l'amitié de Gino le délivraient en quelques minutes des pensées qui l'assombrissaient.

D'autant plus que les livraisons sur la bicyclette lui rendaient la liberté qu'il avait connue, et il découvrait chaque jour des charmes nouveaux de la ville, depuis Blagnac jusqu'à Matabiau, depuis les Minimes jusqu'à la route de Narbonne, qui menait jusqu'au domaine Latécoère, sur les hauteurs de Ramonville où travaillait Lina.

Il s'en était approché un jour, en livrant un artisan dont l'échoppe se trouvait au bord de la nationale, et il avait été tenté de monter jusqu'en haut pour essayer de lui parler, mais il y avait renoncé. Une nouvelle fois quelque chose s'était dressé entre elle et lui. La rage au cœur, il avait fait demi-tour en se demandant si les liens qui les unissaient depuis toujours ne s'étaient pas rompus définitivement. Les paroles rassurantes de Gino lui avaient alors été d'un grand réconfort.

— La victoire emportera tout, assurait-il. Tout le monde nous rejoindra.

Et il ajoutait, répétant cet argument qui lui semblait indiscutable :

— Fais-lui confiance. Si c'est vraiment celle dont tu me parles, elle reconnaîtra les siens.

Elle avait effectivement découvert un autre monde, Lina, dès son arrivée dans la grande demeure au crépi rose et aux volets bleus des Ponthier. Et d'abord, dès l'entrée, un parc immense planté de chênes et de pins soigneusement taillés, des allées gravillonnées aux bordures semées de fleurs, une façade de maison de plus de trente mètres ornée de rosiers grimpants, dont les ailes formaient des logements où vivaient, à gauche le jardinier et le chauffeur, à droite la cuisinière et la chambrière. Lina, elle, avait une chambre dans le bâtiment central, près de celle des filles dont elle s'occupait. Elles étaient trois : Louise, dix ans ; Paule, huit ans, et Jeanne, cinq ans ; toutes trois élevées dans une certaine idée d'elles-mêmes, avec beaucoup d'assurance, de confiance en soi, ce qui avait étonné Lina, du moins les premiers jours.

Au physique, elles étaient le portrait de leur mère, Simone Ponthier, c'est-à-dire blondes, élancées, et d'une extrême vivacité. Grégoire Ponthier, leur père, était un homme sec et rude, aux traits aigus, qui parlait avec autorité et n'admettait pas la moindre contestation dans son foyer. C'était son propre père, Gustave Ponthier, qui avait créé l'entreprise au début du siècle, et qui avait su faire prospérer ses affaires durant les années fastes d'avant 14, en travaillant à la fois pour Latécoère et pour l'armement. Son fils n'avait fait que poursuivre l'œuvre d'un vieil homme qui, aujourd'hui, ne quittait plus son fauteuil depuis une attaque d'apoplexie dont il avait été victime cinq ans plus tôt. Sa femme, Marthe, veillait sur lui avec l'aide d'une infirmière qui dormait elle aussi dans le bâtiment central, tout près de la chambre des deux vieux, où, souvent, elle était appelée au cours de la nuit.

Sur tout ce monde régnait Simone, la mère des trois filles et l'épouse de Grégoire. Régner était bien le mot, car elle n'était pas seulement entrée dans la famille Ponthier par son mariage, mais grâce aux apports financiers de son père, un notaire de Castelsarrasin, qui avait largement contribué au développement de l'usine d'origine au moment même où cela s'était révélé nécessaire, c'est-à-dire au début des années vingt. Depuis, l'affaire se développait à l'écart de la crise, du fait que la France et l'Angleterre réarmaient, et que l'aviation elle-même était devenue, après les balbutiements de la guerre de 14, un enjeu essentiel de la maîtrise du ciel. La crise, c'était pour les autres, et non pour les Ponthier.

C'est ce qu'avait expliqué sa patronne à Lina

dès le premier jour, souhaitant lui faire mesurer la chance qu'elle avait d'entrer dans une maison où elle serait considérée comme un membre à part entière de la famille à condition, bien sûr, d'en respecter les règles.

— Dès demain, je vous emmènerai chez mon fournisseur pour vous acheter des vêtements décents, avait-elle annoncé.

Lina, qui pensait être vêtue convenablement, avait à peine remercié, en se demandant si l'achat de nouveaux vêtements n'allait pas amputer gravement son salaire de gouvernante. Mais elle n'avait pas eu le temps de s'en inquiéter davantage, car Mme Ponthier lui avait expliqué quel serait son travail : essentiellement s'occuper de ses filles depuis leur lever jusqu'à leur coucher, jamais après neuf heures. Elle devrait veiller sur leur toilette du matin, sur leurs vêtements, sur les horaires, afin qu'elles n'arrivent pas en retard à l'école où elles seraient conduites par le chauffeur, et où Lina devait les accompagner. Elle devrait également aller les chercher à midi, les ramener à deux heures, et le soir, après cinq heures, contrôler leurs devoirs puis les préparer pour le repas du soir.

— Entre-temps, vous aiderez la chambrière, Maria, et s'il le faut la cuisinière que l'on appelle Mme Rose. Est-ce que vous m'avez bien comprise ?

— Oui, madame.

— De temps en temps vous me suivrez dans les magasins où je fais mes achats. Cela vous aidera à découvrir la vie qui pourra être la vôtre plus tard.

— Merci, madame, avait répondu Lina qui n'en espérait pas tant.

Puis sa patronne avait paru réfléchir, elle avait soupiré, et enfin ajouté comme avec regret :

— Vous êtes bien jeune pour vous occuper d'enfants – qui, en vérité, du moins en ce qui concerne Louise, n'en est déjà plus une, hélas !

Elle avait ensuite posé sur Lina son regard bleu acier :

— Que voulez-vous ? J'ai cru devoir céder à mon amie d'enfance de Castelsarrasin, qui a su se montrer persuasive, d'autant que nous sommes liées par une lointaine parenté. Il ne faut ni oublier sa famille ni d'où l'on vient, n'est-ce pas ?

Mélina faillit évoquer son enfance à Montalens, mais quelque chose la retint au dernier moment. Elle se contenta d'approuver de la tête, tandis que sa patronne ajoutait en guise de conclusion :

— Nous partons après-demain en voiture pour notre villa de Saint-Jean-de-Luz, où vous nous rejoindrez, Maria et vous, par le train. Mon époux ne viendra que vers le 15. D'ici là, vous vous serez adaptée, ou alors vous aurez été renvoyée. Est-ce que vous m'avez bien comprise ou est-ce que vous avez des questions à me poser ?

— J'ai compris, madame.

Elle allait se retirer quand sa patronne l'avait arrêtée d'un geste :

— Je sais que vous auriez aimé devenir institutrice. Mais n'ayez pas de regret : si vous parvenez à vous intégrer à ma famille, je vous promets un bon parti, plus tard, qui changera votre vie et vous rendra heureuse.

Lina avait trouvé la force de remercier, mais les mots étaient difficilement sortis de ses lèvres.

— Allez, ma fille ! avait conclu Mme Ponthier. Et ne me faites pas regretter ma bonté à votre égard !

Dès lors, pour Lina tout s'était enchaîné comme dans un rêve, non seulement avec la découverte de sa nouvelle vie dans la grande maison de Ramonville, mais surtout au sein de la villa de Saint-Jean-de-Luz située sur la colline Sainte-Barbe au-dessus de la plage. Et pour Lina qui n'avait jamais vu l'océan, cela avait été un enchantement que cette immense étendue d'eau dont le vert se mêlait au bleu de l'horizon et qui venait mourir sur une plage de sable fin où, chaque après-midi, elle accompagnait les filles et leur mère, après avoir enfilé le maillot de bain cerclé vert et blanc que sa patronne lui avait acheté. Et comme Lina apprenait à nager aux filles, celle-ci, à l'abri d'une tente de toile à rayures rouges pour protéger sa peau du soleil, lui avait demandé :

— Mais vous-même, où avez-vous appris pour vous débrouiller aussi bien ?

— Dans la Garonne, madame. Elle coulait tout près de ma maison.

Elle avait connu des difficultés les premiers jours au contact des enfants qui lui étaient confiées, notamment avec l'aînée, Louise, qui considérait n'avoir besoin de l'aide de personne. Cela avait été plus facile avec Paule et surtout avec Jeanne, la dernière, qui était une enfant affectueuse, d'autant que les vacances avaient supprimé les contraintes des devoirs et des horaires. Lina se sentait observée par sa patronne, qui, un matin, l'avait emmenée avec elle faire des courses dans les rues commerçantes de Saint-Jean, et lui avait acheté une robe blanche, très légère, destinée à être passée par-dessus le maillot de bain, une robe si belle, de tissu si fin, qu'elle avait tenté de refuser en disant :

— Non, madame ! S'il vous plaît, je ne pourrai pas la porter.

— Comment cela, vous ne pourrez pas ?

— Je n'ai pas l'habitude, madame.

— Précisément, ma fille, il s'agit de changer vos habitudes.

Lina en avait été gênée les premiers jours, surtout vis-à-vis de Maria la chambrière qui ne bénéficiait pas de tels égards, et elle s'en était ouverte à sa patronne qui avait répondu :

— Maria ne s'occupe pas de mes filles. Vous, si ! Je tiens à ce que vous soyez irréprochable aussi bien dans votre tenue que dans votre manière de vous comporter.

Et Lina s'était efforcée de se glisser dans le rôle qu'on lui avait destiné, en essayant de ne pas trop se faire remarquer.

Cependant, au milieu du mois, comme il avait été convenu, Grégoire Ponthier arriva un soir au volant d'une grande voiture de couleur crème et la vie dans la villa en fut bouleversée. Cet homme d'allure sèche, au regard sombre, faisait peur à Lina. Ce regard, pourtant, ne s'arrêtait jamais sur elle, mais elle devinait une froideur, une force qui, lui semblait-il, pouvaient la mettre en danger.

À Toulouse, les enfants déjeunaient à part, avant leurs parents, mais en vacances, elles prenaient leurs repas avec eux, et donc en présence de Lina, qui était censée s'occuper d'elles, pendant que M. et Mme Ponthier discutaient sans que nul ne s'avise de les interrompre. Dès le premier soir, Lina avait deviné ce qu'avait voulu lui expliquer Étienne, avant son départ, aux propos qu'avait tenus le maître de maison questionné par son épouse sur la situation politique :

— Malgré Maurras, je crains bien qu'il ne soit trop tard, aujourd'hui, avait-il dit d'une voix blanche, où perçait la colère. Les ouvriers se sentent dans nos usines comme chez eux. Je crois que nous allons vers des temps difficiles. On ne peut plus espérer qu'un coup de force des ligues ou une guerre pour nous sauver.

— Ne soyez pas si pessimiste. Les Français ne sont pas stupides. Ils ne confieront pas le pouvoir à des incapables qui les conduiraient à la ruine de ceux qui les font vivre.

— Il n'empêche que ce Front qu'ils sont en train de construire a toutes les chances de remporter les élections au printemps prochain. Les radicaux nous ont trahis. Si les bolcheviks prennent le pouvoir, nous n'aurons plus qu'à nous expatrier dans les Amériques, et encore à condition de pouvoir sauver l'essentiel.

— Allons donc ! Ils n'ont jamais gouverné. Vous les imaginez au pouvoir ? Ils feraient rire tout le monde.

Lina ne comprenait pas tout de ce qu'elle entendait. Elle percevait une menace, mais ne savait réellement en quoi elle consistait. Le mot « guerre », surtout, l'effrayait. Elle imaginait Étienne en danger loin d'elle, et elle cherchait à deviner dans ces conversations du soir où il pouvait bien se situer dans le canevas des forces en présence, dont M. Ponthier évaluait les chances de succès. Est-ce qu'Étienne faisait partie de ces bolcheviks qui le faisaient s'étrangler de fureur, tandis que sa femme tentait de le calmer, mais avec de moins en moins de succès au fur et à mesure que les jours passaient ?

À Toulouse, les nouvelles n'étaient pas bonnes, et il repartit plus tôt que prévu. Dès lors, la villa blanche aux volets verts retrouva un peu de calme, et Lina put regagner la colline chaque soir après la plage avec moins d'appréhension. Déjà quelques orages avaient annoncé la venue de l'automne, et il faudrait rentrer bientôt à Toulouse. Même si elle regretterait la plage et le bleu infini de l'océan, cette pensée ne la chagrinait pas : à Toulouse, Étienne l'attendait.

9

Quel joli mois de mai c'était, que ce mois de mai 1936 ! L'air sentait le sucre chaud et la poudre à fusil dans la nuit qui tombait, ce dimanche 3 mai, tandis que Gino et Étienne déambulaient dans la foire des allées Jean-Jaurès après avoir appris la victoire du Front populaire à la TSF.

— Tu te rends compte ! ne cessait de répéter Gino, 386 députés contre 222 pour les autres. Et les socialistes en tête avec 149 ! Ce sera Blum qui formera le gouvernement !

Autour d'eux, la foule était en liesse et ce n'était pas seulement une fête foraine qu'ils traversaient côte à côte, mais c'était la fête d'une victoire très longtemps espérée.

Jeux de massacre, tirs au fusil, train fantôme, chevaux de bois, marchands de beignets, fanfares, roulements de tambours animaient ces allées devenues le lieu de retrouvailles d'une population enfin victorieuse qui criait sa joie : « Pain, paix, liberté ! Blum au pouvoir ! Vive le Front ! » Et

Gino criait plus fort qu'Étienne en faisant l'aller-retour entre la gare Matabiau et la place Wilson où s'était mis à jouer un orchestre qui venait d'improviser un bal. Ils se dirigèrent vers lui et s'assirent à la terrasse d'un café, où les clients chantaient en chœur :

> « On l'appelait le Dénicheur
> Il était rusé comme une fouine
> C'était un gars qu'avait du cœur
> Et qui dénichait des combines… »

— Tu sais danser, toi ? demanda Gino à Étienne.

— Non.

— Viens ! Tu vas voir : c'est facile.

— Non ! Toi, d'abord !

Gino se leva et alla inviter une jeune fille blonde à une table voisine en s'inclinant devant elle. Il avait beaucoup de charme, Gino : il était grand, brun, d'une aisance naturelle qui plaisait aux femmes. La jeune fille sourit, accepta et ils commencèrent à tourner devant Étienne un peu envieux :

> « C'est la valse à tout le monde
> C'est la valse d'amour
> Que l'on chante toujours à la ronde
> Jusqu'au fin fond de nos vieux faubourgs… »

Il commanda un autre verre en attendant la fin de la danse, puis Gino le rejoignit en disant :

— Danse ! Étienne ! Il faut danser aujourd'hui !

Et quand l'orchestre se remit à jouer, il le força à se lever et à venir inviter deux autres filles qui se tenaient à l'écart et ne se firent pas prier pour les suivre. La cavalière d'Étienne était une petite rousse aux yeux verts qui ne semblait pas farouche du tout.

— Je ne sais pas danser, dit Étienne.

— Moi non plus.

Il osa alors lui demander :

— Comment tu t'appelles ?

— Mireille.

— Tu travailles ?

— Oui. Au Prisunic.

— Moi, dans une imprimerie.

Elle sourit, ne répondit pas mais se mit à chanter en suivant la musique, les yeux clos :

« Ce petit chemin qui sent la noisette
Ce petit chemin n'a ni queue ni tête... »

Étienne pensa alors à Lina avec qui il n'avait jamais dansé. Aussi, quand la musique s'arrêta, il rejoignit la terrasse et refusa de danser de nouveau, malgré les tentatives de Gino pour l'en persuader. Celui-ci fit encore deux danses avec des filles différentes, qui toutes deux parurent immédiatement séduites à Étienne.

— Mais comment fais-tu ? demanda-t-il à l'Italien une fois qu'il l'eut rejoint, un grand sourire illuminant son visage à la peau mate.

Gino éclata de rire, se pencha vers Étienne et expliqua :

— Je les serre dans mes bras et je leur dis : « Bénie soit ta mère qui t'a faite si belle ! »

Étienne secoua la tête devant ce séducteur insouciant qui aimait tant la vie et il refusa une nouvelle fois de se lever. Gino, alors, y renonça aussi, et ils repartirent vers les allées où des ouvriers, bras dessus bras dessous, criaient :

— Blum au pouvoir ! La Rocque à Sainte-Hélène !

Ils se fondirent dans le cortège qui allait d'un côté à l'autre de la rue, hurlant des slogans repris d'écho en écho, puis ils chantèrent, comme les autres, des chants vainqueurs pendant plus d'une heure. Après quoi, souhaitant encore prolonger cette nuit magique, ils décidèrent de se rendre à l'imprimerie, voir si Marius s'y trouvait, afin de fêter avec lui la victoire.

Il s'y trouvait, Marius, mais il n'était pas seul : tous les réprouvés, tous les paumés de la ville célébraient avec lui l'événement, dans un désordre invraisemblable, au milieu des bouteilles de vin qui jonchaient le sol. Ils palabraient par petits groupes, tenant des discours enflammés qui faisaient briller leurs yeux d'enfants trop vite grandis :

— Plus jamais de guerre ! clamaient les uns.

— L'égalité pour tous ! s'écriaient les autres.

— Un monde nouveau ! approuvait Marius qui aperçut Étienne et Gino et vint les embrasser avec une émotion sincère.

Il les présenta à tous – mais ils en connaissaient beaucoup, du fait que l'imprimerie gardait toujours ses portes ouvertes –, et ils ne purent faire autrement que d'écouter leurs prédictions au sujet d'un avenir meilleur et de leurs rêves désormais devenus réalité. Ils furent également obligés de boire et de trinquer avec tout le monde, si bien qu'à quatre heures du matin, épuisés, ils réussirent à s'isoler un moment dans le local où l'on entreposait les rames de papier.

— Rentrons ! dit Étienne à Gino. Il est temps, je pense.

Gino le raccompagna rue Réclusane vers laquelle ils marchèrent lentement, pour mieux mesurer, sans doute, l'importance de ce qu'ils venaient de vivre. C'était beaucoup plus beau que tout ce qu'ils avaient imaginé. Aussi, une fois à destination, Gino dit à Étienne en lui donnant une accolade fraternelle avant de le quitter :

— Ils ont raison. Plus rien ne sera comme avant. Tu comprends ? La vie va changer.

— Oui, dit Étienne, tout va changer.

Il rentra chez lui et raconta à sa mère – qui s'inquiétait de son absence et s'était relevée – ce qu'il avait vu et entendu : la fête, les chants, les slogans, la joie, l'enthousiasme de ses amis, puis il se coucha et s'endormit avec des rêves plein la tête.

10

Ce qui changea, effectivement, au cours des jours qui suivirent cette nuit inoubliable pour eux, c'est que de nombreux ouvriers se mirent en grève aussi bien chez Latécoère, où trois employés qui avaient refusé de travailler le 1er Mai avaient été renvoyés, que chez les sous-traitants, mais aussi dans l'industrie agricole, du bâtiment, de la métallurgie et même de l'artisanat. Les ouvriers souhaitaient faire pression sur le gouvernement au sujet des promesses du Front. Il s'agissait de discuter des salaires, des horaires, de la semaine de quarante heures, également des conditions de travail qui devaient évoluer dans toutes les branches.

Dans l'imprimerie de Marius, plus personne ne travaillait et les journées passaient en discussions animées, jusqu'au jour où, le 6 mai, le Parti communiste annonça qu'il ne ferait pas partie du futur gouvernement, mais qu'il le soutiendrait « en lui apportant un appui sans éclipses ». Aussitôt, Cordocou devint la risée des autres, qui l'accusèrent de trahison, et surtout de la part de Marius et de Gino qui s'esclaffaient :

— Sans éclipses ! Tu les as entendus, tes Soviets ! Ce sont eux qui s'éclipsent !

— Et l'ordre est venu de Moscou, comme d'habitude ! renchérissait Marius. Ah ! Ils sont courageux, les camarades !

Cordocou faisait face de son mieux, mais il ne provoquait que sarcasmes quand il assurait :

— Si ça échoue, nous serons un recours !

— Bien sûr ! grinçait Marius. Et les ligues vous laisseront faire !

— Elles vont être dissoutes, les ligues, c'est dans le programme.

— Et tu crois qu'ils vont disparaître comme ça, du jour au lendemain !

Gino et Étienne, accablés par ces palabres interminables, abandonnaient l'imprimerie et allaient visiter les usines en grève un peu partout. Il était facile de pénétrer dans les cours, où souvent un accordéon jouait, et où les femmes ravitaillaient les hommes qui ne quittaient pas leur lieu de travail. Pour répondre aux accusations des patrons qui criaient « aux voleurs », des affiches avaient été placardées sur les murs, à l'entrée : « La machine est ton outil de travail. Protège-le. Montre que tu le respectes mieux que, à ce jour, ne t'a respecté le propriétaire. »

Étienne put entrer dans la cour de la Mécalav, mesurer le chemin parcouru depuis ces mois où il avait si peur de se faire prendre les doigts par la Priss, retrouver certains ouvriers et ouvrières d'alors, qui semblaient aujourd'hui ne plus redouter le contremaître dont ils avaient tellement craint la sévérité.

Le 22 mai, il reçut une lettre de Lina qui lui demandait de venir l'attendre à la gare le dimanche 24, car elle devait se rendre chez ses parents – c'était la fête des Mères –, à condition qu'il y ait un train. Si elle ne pouvait pas partir, elle passerait la journée avec lui, avant de regagner Ramonville le soir. Il se réjouit de la voir, et de lui montrer comment la ville célébrait la victoire du Front populaire, de lui expliquer que c'était le cas partout en France : au Havre, dans les usines Bréguet, à Courbevoie dans l'usine d'aviation Bloch, à Levallois, à Marseille, et bien sûr dans les ateliers de l'usine Ponthier, ses patrons. Il avait hâte de la faire participer à ces réjouissances et, peut-être, espérait-il, de danser avec elle au milieu des ateliers désertés.

Lina s'effrayait des fureurs qui embrasaient M. Ponthier chaque soir, depuis le 3 mai. Sa femme ne parvenait pas à le calmer, tandis qu'il s'étouffait en vitupérant contre les bolcheviks qui allaient tout casser.

— Des fainéants ! Des bons à rien ! Ils verront avec les Soviets si c'est mieux qu'avec nous !

— Nommez un directeur, et partons ! suggérait sa femme.

— Jamais ils ne me chasseront de chez moi ! Je prendrai les armes, s'il le faut !

— Allons ! Grégoire ! Nous n'en sommes pas là.

— Bien sûr que si ! Ils sont en train de paralyser le pays ! Ils nous mènent tout droit à la faillite et ne se doutent pas, ces idiots, qu'ils vont se retrouver à la rue !

Les filles et Lina, paralysées, n'osaient lever la tête. Elles n'avaient qu'une hâte : quitter la grande salle à manger où Rose et Maria limitaient leurs apparitions. Et quand sur un geste de Mme Ponthier elles étaient libérées, elles s'enfuyaient vers les chambres où Lina, après avoir vérifié devoirs et leçons, aidé les enfants à se coucher, se réfugiait dans son domaine en se demandant ce que faisait Étienne au milieu de cette folle agitation qui semblait avoir embrasé la ville.

Elle lui avait écrit sans savoir s'il recevrait sa lettre. Aussi ce fut sans aucune certitude qu'elle pénétra dans la gare Matabiau, le dimanche 24 au matin. Elle fut heureuse de le découvrir dans le hall, d'autant qu'aucun train ne circulait en direction de Bordeaux, et qu'elle allait pouvoir passer la journée avec lui, comme elle l'avait espéré.

Ils sortirent et empruntèrent les allées Jean-Jaurès, où la foire ne s'était pas encore réveillée en ce début de matinée, mais Étienne lui fit le récit de la nuit de la victoire, le 3 mai, tout en évitant soigneusement de lui avouer qu'il avait dansé. Puis ils se dirigèrent comme à leur habitude vers la place du Capitole où ils s'assirent à la terrasse du café qui les accueillait chaque fois, et qui symbolisait pour Lina le lieu de tous les bonheurs.

— Alors, tes patrons, qu'est-ce qu'ils pensent de ce qui se passe ? demanda Étienne.

— Ils sont furieux.

— Je comprends qu'ils soient furieux, et encore ils n'ont rien vu !

Lina demeura pensive un moment, puis, après une légère hésitation, elle avança :

— Ils disent aussi que toute cette agitation va mener la France à la ruine et que ce sont les ouvriers qui paieront la note.

— C'est leur menace favorite pour que rien ne change.

— En tout cas, ils sont très gentils avec moi. Surtout elle, qui me considère comme sa fille.

Étienne dévisagea brusquement Lina comme s'il se trouvait en présence d'une inconnue.

— Et tu crois ce qu'elle dit ? demanda-t-il d'une voix où perçait de la contrariété.

— Non ! Mais elle m'achète des vêtements sans les retenir sur ma paye.

— Évidemment ! 250 francs de salaire ! C'est bien ce que tu m'as dit, non ?

— Oui, 250 francs. Mais je ne garde presque

rien pour moi car je les donne à mes parents. Si elle ne m'aidait pas, je ne pourrais rien acheter.

Étienne prit un air dur pour répliquer :

— Si elle t'aide ainsi, c'est qu'elle a besoin de toi.

— Je ne crois pas. Je crois qu'elle est sincère avec moi, qu'elle s'est attachée à moi.

— Alors qu'elle a trois filles ? Tu dis n'importe quoi !

Lina tressaillit sous l'affront. C'était la première fois qu'il se montrait si agressif envers elle. Il devina qu'il était allé un peu loin et il murmura, lui prenant la main :

— Ne te laisse pas aveugler. Ces gens savent parler, convaincre, et cela dure depuis toujours.

Lina ne répondit pas. Elle songeait à ce mur qui se dressait de plus en plus entre eux, et elle eut peur, soudain, de ne plus pouvoir partager ce qu'ils avaient en commun depuis l'enfance. Il sentit alors qu'il devait lui faire découvrir son univers, afin de la convaincre.

— Viens ! dit-il. Allons marcher.

Elle le suivit dans la rue où les gens s'interpellaient joyeusement, chantaient, riaient, et elle fut étonnée de ne ressentir aucune menace, au contraire de ce qu'affirmait M. Ponthier dans ses moments de fureur.

— Où m'emmènes-tu ? demanda-t-elle.

— Tu verras.

Il allait vers les quais, jusqu'à son ancienne

usine où il savait pouvoir retrouver une ambiance de fête un peu semblable à celle de la nuit du 3 au 4 mai. De fait, dès qu'ils arrivèrent, ils furent salués par les cris, les vivats, les acclamations des grévistes qui ne quittaient plus les lieux, et Lina fut embrassée comme si on la connaissait depuis toujours. Malgré une petite réticence, au début, elle se sentit touchée par ces gestes d'affection spontanés.

— Où tu bosses, toi ? lui demanda une jeune fille en lui prenant le bras.

— Chez des patrons, répondit Étienne à sa place.

La fille n'insista pas, invita Lina à s'asseoir à côté d'elle, et bientôt à se balancer à droite et à gauche, en chantant :

« Amusez-vous
Foutez-vous d'tout !
La vie, entre nous, est si brève
Amusez-vous
Comme des fous »

Surprise, Lina chanta d'abord pour ne pas se faire remarquer, puis parce qu'elle était touchée par ce bonheur si sincère, si émouvant pour elle qui se sentait seule, parfois, dans la grande maison de Ramonville. Étienne ne la quittait pas des yeux, et il devinait le changement qui s'opérait en elle avec satisfaction.

— Comment t'appelles-tu ? demanda la fille qui, à sa droite, lui tenait le bras.

— Mélina.

— Moi, c'est Marianne.

Elle songea à Maria, la chambrière près de qui elle travaillait chaque jour et qui semblait continuellement terrorisée. Non pas par ses maîtres mais par le chauffeur, Émile, dont elle lui avait dit qu'il fallait se méfier. Elle chassa cette pensée de son esprit pour se laisser aller aux chants qui se succédaient et qui s'arrêtèrent soudain, à l'apparition d'un gros homme vêtu d'un pantalon gris de poussière et d'un simple maillot de corps lie-de-vin. Il portait un accordéon dont il s'empressa de passer les bretelles tandis que fusaient les plaisanteries et les invectives :

— Tu t'es pas réveillé, Léon ? On t'attendait depuis une heure ! Où t'as passé la nuit ?

Il haussa les épaules, s'installa sur une chaise qu'on lui avait avancée et se mit à jouer sans plus écouter les quolibets, qui, d'ailleurs, cessèrent rapidement. Alors des hommes se levèrent pour inviter des femmes à danser, et, aussitôt, pour éviter à Lina d'avoir à refuser, Étienne se dressa et vint la prendre par la main.

— Qu'est-ce que tu fais ? demanda-t-elle.

— Je te fais danser.

— Je ne sais pas très bien.

— Moi non plus, dit-il.

Elle aurait été bien incapable de résister : être

dans ses bras lui suffisait pour accepter n'importe quoi. Elle se laissa guider en tournant lentement, surprise et éblouie d'avoir obtenu d'un coup ce qu'elle avait tellement espéré : les bras d'Étienne refermés sur elle, et la musique qui jouait pour eux – pour eux seulement, songeait-elle –, les yeux mi-clos, se demandant si elle ne rêvait pas, si tout cela n'allait pas lui être retiré aussitôt, comme un jouet à une enfant trop gâtée. Elle se surprit même à chanter, ou plutôt à fredonner cet air que les danseurs reprenaient en chœur, et qui la ravissait :

> « Ferme tes jolis yeux
> Car les heures sont brèves
> Au pays merveilleux
> Au doux pays du rêve… »

— Mais tu sais danser ! dit-elle à Étienne.
— J'apprends vite, répondit-il.
— Je suis sûre que tu as déjà dansé, fit-elle.
Mais elle n'insista pas.

Elle n'en eut d'ailleurs pas le temps, car un jeune homme, qui semblait connaître Étienne, vint les séparer. Il enlaça Lina, qui n'osa pas refuser et se laissa entraîner. Étienne, contrarié, dansa avec la voisine de Lina, mais il se hâta de la reprendre dans ses bras dès que la musique, un instant, se tut. Puis un autre air les emporta, et ils furent de nouveau seuls au monde.

Cela dura, sembla-t-il à Lina, interminablement. C'est à peine s'ils s'arrêtèrent pour manger à midi le pain, le fromage et le saucisson qu'avaient apportés les femmes des ouvriers, puis l'accordéon se remit à jouer et tout recommença jusqu'à trois heures de l'après-midi. Alors les responsables syndicaux décrétèrent qu'il était temps de tenir la réunion du comité de grève, et Étienne, qui ne travaillait pas dans l'usine, emmena Lina à l'extérieur sous les acclamations des danseurs épuisés :

— Salut les amoureux ! À demain ! Pas de bêtises !

Ils s'enfuirent en courant, comme ils couraient vers l'école à Montalens, riant à perdre haleine, puis ils s'immobilisèrent subitement, à bout de souffle, et, face à face, les yeux dans les yeux, s'observèrent un long moment. Enfin, Étienne se pencha vers elle et trouva ses lèvres dans un baiser rapide qu'elle reçut dans un frisson, puis, aussitôt, il la reprit par la main et recommença à courir.

— Où va-t-on ? demanda-t-elle.

Il ne répondit pas mais il la conduisit à l'imprimerie pour voir s'il y avait quelqu'un. Là, ils trouvèrent Cordocou qui achevait de tirer une affiche syndicale, et Étienne lui présenta Lina.

— Ah ! Jeunesse ! s'exclama le prote. Quelle chance avez-vous !

Ils repartirent et prirent la direction de la rue Réclusane, Lina ayant manifesté le souhait de saluer la mère d'Étienne. Ils y restèrent jusqu'à cinq heures, Étienne cherchant à rassurer sa mère effrayée par la folie qui s'était emparée de la ville, Lina toute à son bonheur de cette journée. Ensuite Étienne la raccompagna vers la gare où elle était censée attendre le chauffeur à son retour de Montalens, mais, comme ils étaient en avance, ils s'arrêtèrent en cours de route dans un café de la rue Pauilhac. Là, Étienne demanda :

— Tu as compris ?

— Compris quoi ?

— Le bonheur, l'accordéon. Tout le monde danse !

Elle réfléchit quelques secondes, murmura :

— Je dois travailler, Étienne.

— Ça n'empêche pas de savoir pour qui on travaille.

Et il ajouta :

— Tu n'oublieras pas ?

Elle fit « non » de la tête, hésita à lui dire que ce qu'elle n'oublierait pas, surtout, c'était le moment où il s'était penché sur elle le long des quais et l'avait embrassée. Il recommença peu avant d'arriver à la gare, sous un balcon de la rue Bertrand-de-Born, avec la même douceur, la même délicatesse, et il la quitta au moment de traverser l'avenue, non sans lui assurer qu'il y aurait encore des jours pareils à celui-là.

— Oui, se réjouit-elle, j'espère !

Elle s'en alla avec la conviction que tout ce qu'elle avait vécu jusqu'à ce dimanche, tous ses efforts, tous ses sacrifices, avaient enfin trouvé leur aboutissement dans cette belle et grande ville qu'elle aimait chaque jour un peu plus.

Ce mois de mai parut ne devoir jamais finir. Trois semaines après la victoire du Front populaire, le gouvernement n'était pas encore constitué et il ne s'était rien passé. Les grèves, alors, s'étendirent à tout le pays, surtout dans la métallurgie. La police n'ayant pas d'ordres pour faire évacuer les locaux et faire respecter « le droit de propriété », le mouvement faisait tache d'huile sous l'œil bienveillant des parlementaires du Front. On ne déplorait pourtant aucun désordre et aucune violence. Le matériel était mis en sécurité, les ouvriers s'organisant pour protéger leur outil de travail.

— Ça y est ! s'écriait Cordocou chaque matin en lisant le journal. La région parisienne est paralysée ! Grève aux usines Amiot, Hotchkiss, Lavalette, Nieuport, Farman, Bréguet, Citroën, Renault !

Le 30 mai, au congrès du Parti socialiste, Léon Blum renouvela l'engagement d'exécuter le programme du Front.

— Manquerait plus qu'il fasse le contraire ! grinça Cordocou.

— Et pourquoi vous ne voulez pas y aller, vous, les Soviets, au gouvernement ? répliqua Marius.

Ils se retrouvaient de bonne heure à l'imprimerie, et, s'il n'y avait pas de travail pour les syndicats, ils partaient vers les usines occupées, seul le vieux Tonin assurant le gardiennage.

Enfin, le 6 juin, le gouvernement de Léon Blum se présenta devant la Chambre des députés et annonça le dépôt immédiat de projets de loi concernant l'amnistie, la semaine de quarante heures, les contrats collectifs, les congés payés, un plan de grands travaux, la nationalisation de la fabrication des armes de guerre, l'Office du blé, une réforme des statuts de la Banque de France, la révision des décrets-lois d'austérité, et il obtint la confiance par 384 voix contre 210.

Les grèves ne cessèrent pas pour autant, si bien que les journaux publièrent qu'il y avait en France plus d'un million de grévistes. Même les accords Matignon, conclus dans la nuit du 7 au 8, ne provoquèrent aucun effet sur eux, car les ouvriers voulaient discuter les termes de leurs contrats collectifs et négocier leurs revendications particulières.

Le matin du 9 juin, Gino entraîna Étienne vers les chantiers de Latécoère, près desquels était située l'usine Ponthier, et ils n'eurent aucune difficulté à pénétrer dans les cours, du fait qu'ils livraient des tracts de mobilisation. Étienne s'avança jusque chez les Ponthier, cherchant à apercevoir l'homme chez lequel travaillait Lina, mais les bureaux étaient déserts, car les patrons trouvaient de plus en plus risqué de s'aventurer dans des lieux qui, pourtant, leur appartenaient.

La confection de tracts et d'affiches les retint à l'imprimerie les jours suivants où ils apprirent le vote par la Chambre de la loi sur les congés payés – quinze jours dont douze jours ouvrables – et sur la semaine de quarante heures. Ils fêtèrent ces dispositions en ouvrant une bouteille de blanquette de Limoux, et il fut question de savoir s'il fallait reprendre le travail, la plupart des revendications ayant abouti.

Marius, Gino, Étienne, le vieux Tonin étaient pour, Cordocou était contre. Cette opposition se manifestait au niveau national, où les communistes semblaient parier sur un pourrissement de la situation destiné à provoquer un mouvement révolutionnaire à leur profit. Ce fut le premier craquement du Front populaire qui se trouva formalisé à la Chambre quand le député de Marseille Raymond Vidal déclara « qu'à son avis on était en présence non de mouvements revendicatifs, mais de grèves révolutionnaires fomentées par le Parti communiste ». Et il conclut en ajoutant : « Socialiste je suis, mais la République française des Soviets, même arrangée au goût de chez nous, non, je ne marche pas. »

Cordocou l'accusa de traîtrise en lisant *L'Humanité* le lendemain matin, et il faillit en venir aux mains avec Gino, qui, lui, était de l'avis de Vidal. Étienne et Marius eurent toutes les peines du monde à les séparer. Mais cette première fracture en annonçait d'autres, d'autant que le Parti radical considérait déjà que le Front populaire était allé trop loin et faisait le jeu des communistes. Cordocou s'en prit alors au vieux Tonin et Marius ne réussit qu'à peine à ramener le calme dans un atelier divisé, déchiré, comme l'était le gouvernement.

Dans ce contexte enfiévré, le défilé du 14 Juillet réconcilia un peu les forces en présence, et l'on s'efforça de fêter la victoire comme au soir du 3 mai. Étienne avait espéré que Lina le rejoindrait, mais elle ne vint pas. C'est avec Gino qu'il se joignit au cortège derrière la clique du 14e régiment d'infanterie, que suivaient les cercles laïques, les drapeaux des anciens combattants, les confréries d'artisans, les syndicats, les employés des grands magasins, tous levant les yeux vers les avions de Francazal qui dessinaient des arabesques dans le ciel. Des gerbes furent déposées au pied de la statue de Jean Jaurès, des discours furent prononcés, qui, tous, s'évertuaient à prôner l'unité du Front, parlaient d'espoir, d'avenir, de confiance, comme pour conjurer les divergences apparues, déjà, en si peu de temps.

Vers midi, Étienne et Gino allèrent boire un verre place Wilson, et là Gino l'interrogea :

— Où vas-tu aller pour les congés payés ?

— Tu sais bien que j'ai pas de vrai salaire.

— C'est pas grave. Léo Lagrange a obtenu 40 % de réduction sur les billets de chemin de fer.

— Et toi ? s'enquit Étienne. Où iras-tu ?

— À Capbreton, au bord de l'océan. Je t'emmène, si tu veux.

Étienne ne répondit pas. Il pensait à Lina et se demandait si elle obtiendrait ces congés si décriés par le patronat.

— Tu penses à elle ? fit Gino.

Étienne hocha la tête.

— On l'emmène avec nous !

Étienne n'y croyait pas. Ce serait trop beau de passer deux semaines avec Lina au bord de la mer. Mais est-ce que ses patrons n'allaient pas s'y opposer ? Et ses parents ? Elle n'avait que seize ans. Sûrement elle serait obligée d'aller à Montalens et de s'occuper d'eux, comme elle le faisait le dimanche, tous les quinze jours.

— On prend le train jusqu'à Bayonne et de là, direction Bordeaux. Ensuite : terminus en gare de Labenne. C'est tout près de Capbreton : je connais l'endroit. J'y suis déjà allé deux fois.

— Ce serait trop beau, murmura Étienne. On n'est pas majeurs.

— Moi je le suis. Et je peux amener deux personnes avec moi.

Et, comme Étienne s'étonnait :

— C'est mon voisin de palier, un instituteur, qui dirige le camp.

Il ajouta, voulant absolument le décid

— On appelle ça une auberge de

M. Peyrelongue, mon voisin, l'a créée en 193

est patronnée par le Syndicat national des institu-
teurs. Léo Lagrange est en train de les

Il se fait même appeler le ministre

— C'est cher ?

— Ne t'inquiète pas de ça. Si tu
m'occupe de tout.

Étienne rêva un moment, puis il
en disant :

— C'est pas possible. Elle ne p

— Écris-lui, au moins, avant
pas possible.

Étienne finit son verre, se l
ciant Gino :

— C'est entendu, je vais

Puis il s'éloigna pour
mère rue Réclusane, en
de Gino. Des vacance
l'océan ! Il n'y croyait
fallait quand même
mencer sa lettre l'
avoir de regrets.

— Des congés payés ! s'exclama M. Po
ce soir-là. Et qu'est-ce qu'ils en feront ? Ils les pas-
seront au bistrot à jouer aux cartes et à boire leur
mauvais vin !

— Je ne suis pas majeure. Je n'ai pas le droit de faire ça.

— On partira avec Gino. Il a vingt-trois ans, et il peut emmener deux personnes avec lui.

Étienne ajouta, comme elle demeurait sceptique, un peu hostile tout à coup :

— Comme je te l'ai écrit, il connaît le directeur du camp à Capbreton. C'est un ami à lui. Tout est arrangé. Tu n'as plus qu'à dire oui.

Il argumenta durant tout le trajet, si bien qu'à l'arrivée, en gare de Montalens, Lina était presque convaincue, ou du moins feignait de l'être.

À la sortie de la gare, ils prirent la direction du fleuve et toute une somme de sensations leur revinrent à l'esprit, car il faisait beau, ce matin-là, et l'air sentait l'herbe rafraîchie par la nuit, tous les foins n'ayant pas encore été coupés. Le fleuve roulait ses eaux basses d'été, découvrant son limon et ses galets. À l'approche de la nationale et du pont sous la voie ferrée, Étienne demanda en essayant de prendre la main de Lina :

— Tu te souviens ?

— Non ! Je ne veux pas me souvenir, répondit-elle en retirant cette main.

Et pourtant, en elle, quelque chose d'infiniment doux se soulevait, la faisant respirer plus vite, lui donnant l'impression qu'il y avait là un trésor enfoui au plus profond de sa mémoire. Mais elle s'y refusa d'autant plus facilement qu'ils arrivaient à proximité de la maison de ses parents.

Et comme il n'était pas question qu'Étienne l'accompagne jusque-là, elle demanda :

— Que vas-tu faire en m'attendant ?

— Je vais aller voir Eugène, et ensuite je monterai au village.

— On se retrouve à cinq heures, à la gare.

— Entendu.

Il voulut la retenir un instant, mais ils étaient trop près de la maison, et elle eut peur qu'on les surprenne. Elle s'éloigna avec un sourire et un geste de la main, tandis qu'il amorçait un grand détour par la droite pour s'approcher de la maison d'Eugène. Il ne s'y trouvait pas : sans doute était-il en train de relever quelques filets vers l'aval, aux abords de l'île. Étienne suivit la berge un moment, jetant de brefs regards vers la rive opposée, mais il ne vit personne, pas même à proximité de l'île dont l'extrémité lui parut avoir été modifiée par les crues.

Il fit demi-tour, repassa devant la maison d'Eugène qui n'était pas revenu, puis il partit vers le village dont il devinait, tout là-haut, les toits de tuiles rousses, non sans s'être approché de la demeure de Lina en espérant l'apercevoir. Mais elle demeurait prisonnière comme chaque fois qu'elle revenait, faisant le ménage, lavant la vaisselle accumulée pendant des jours et des jours, repassant le linge, nettoyant le parquet avec une rage qui lui arrachait des larmes vite essuyées d'un revers de main. Son père, de plus en plus hargneux, avait empoché les billets de la paye de sa fille sans un mot de remerciement, mais non sans les avoir recomptés. Il cuvait son vin devant la mère qui dévidait la pelote de ses récriminations, toujours aussi grinçante, toujours aussi mortifiée de ne pouvoir se lever, toujours aussi convaincue qu'elle seule pouvait accomplir les tâches ménagères mieux que personne.

Tout en travaillant, Lina se persuadait qu'elle ne pourrait jamais passer quinze jours ici. Un dimanche de temps en temps, peut-être, mais quinze jours, certainement pas. Elle n'en aurait pas la force. Dès lors elle se jura de tout tenter pour accompagner Étienne à Capbreton. Et forte de cette résolution, elle s'apaisa un peu, prêtant une oreille moins distraite à sa mère qui lui annonçait la mort d'Eugène : on l'avait retrouvé noyé trois kilomètres en aval, il y avait huit jours. Cette nouvelle la toucha plus qu'elle ne l'aurait cru : il lui avait fait tellement peur, Eugène, lorsqu'elle était petite. Elle essaya d'en savoir plus, mais la mère lui répondit que ce n'était pas « une grande perte », qu'on était enfin débarrassés d'un bon à rien.

Ensuite, Lina posa des questions pour deviner s'ils étaient au courant de ce qui se passait dans le pays : le Front populaire, les nouvelles lois, les congés payés.

— Tu crois qu'on s'occupe des affaires des autres ? On a assez de soucis comme ça dans cette maison ! s'écria sa mère.

Cette réponse rassura Lina. Si elle allait à Capbreton, comme elle ne resterait absente que quinze jours, ils ne s'en apercevraient même pas. Son père, qui était sorti pendant une heure pour aller bricoler dans le hangar au grand soulagement de Mélina, revint s'asseoir et se servit un verre de vin sous le regard courroucé de sa femme. Il se mit alors à récriminer, expliquant que 250 francs ce n'était pas assez, exigeant de sa fille qu'elle demande une augmentation. Pendant le restant de l'après-midi, il revint plusieurs fois sur ce sujet, si bien qu'elle promit tout ce qu'il voulait, non sans surveiller des yeux les aiguilles de l'horloge qui ne tournaient pas assez vite à son gré.

Elle essaya de s'enfuir une heure avant l'arrivée du train, mais son père l'obligea à rentrer du bois près de la grande cheminée, en prétextant une douleur à l'épaule. Quand il fut l'heure de partir, elle n'en pouvait plus. Elle courut vers la gare comme vers un refuge et se précipita vers Étienne qui l'attendait, assis dans le hall, à l'ombre. Elle ne put lui cacher ses larmes à la pensée des corvées qu'elle avait assumées, et il saisit l'occasion pour lui arracher la promesse de le suivre à Capbreton.

— S'ils me donnent des congés, je te promets de venir, dit-elle en s'essuyant les yeux.

Puis, une fois dans le train, comme Étienne lui expliquait qu'il n'avait pas vu Eugène, elle lui révéla qu'on l'avait retrouvé noyé huit jours auparavant. D'abord il ne voulut pas la croire, puis il en fut bouleversé au point qu'elle s'en indigna :

— Tu ne te souviens donc pas comme il s'amusait à me faire peur ?

— Il n'était pas méchant. Il ne t'aurait jamais fait de mal.

Étienne eut alors la conviction que tout ce qui lui avait été précieux, ici, dans la vallée, avait disparu. Au village, il n'avait rencontré personne à qui parler, ni le maître ni le moindre camarade d'école. Et Eugène, aujourd'hui, avait disparu aussi ! Pourquoi fallait-il que cesse d'exister tout ce qui avait ensoleillé son enfance ? Quel vide sous ses pieds, soudain ! Presque plus rien à quoi s'arrimer ! Qui savait si un jour l'île du bonheur, elle-même, n'allait pas être engloutie par les flots ? Il eut un frisson glacé, repoussa les larmes qui montaient, détourna la tête, puis il s'efforça de fuir ces noires pensées et de se préoccuper plutôt du mois d'août qui approchait. Il reprit alors auprès de Mélina sa plaidoirie au sujet des vacances prochaines, et il comprit qu'elle était vraiment décidée à l'accompagner. Dans ce train qui les ramenait vers la grande ville où désormais battait le cœur de leur vie, ils songeaient, muets, à présent, mais les yeux éclairés d'une lueur d'espoir, que rien ni personne ne les ferait renoncer à leur projet.

TROISIÈME PARTIE
Des étés de feu

11

Jamais aucun matin ne leur avait paru aussi beau, aussi lumineux, aussi riche de promesses, de liberté, d'espoir – pas même ceux des rives de la Garonne dont ils avaient été pourtant éblouis pendant les premières années de leur vie. Et dans le train qui les conduisait vers Bayonne, assis côte à côte dans un compartiment qui sentait la charcutaille et le fromage dissimulés dans des paniers d'osier, Lina n'osait croire, encore, que quinze jours de vacances l'attendaient, et que c'était bien Étienne qui était assis près d'elle, en compagnie de vacanciers détenteurs, comme eux, de billets « Léo Lagrange » pour aller vers la mer. 40 % de réduction, mais c'était trop pour lui, d'où le fait que Gino avait fait face aux dépenses, comme il l'avait promis.

— Tu me rembourseras lorsque tu toucheras un vrai salaire, avait-il dit à Étienne.

Et il avait ajouté en riant :

— La semaine des quatre jeudis.

Lina, elle, avait pu régler son billet grâce à sa

patronne qui lui avait avancé sa paye – puisqu'elle allait voir ses parents –, non sans avoir amèrement déploré de ne pouvoir disposer d'elle pendant les quinze derniers jours du mois d'août. Malgré les vociférations de son époux, elle avait en effet décidé d'accorder deux semaines de congés à Mélina qui lui avait seulement demandé, avec beaucoup de précautions, si elle y aurait droit.

— Il ne sera pas dit, ma fille, avait répondu sa patronne, que je traite mal mon personnel, même si je n'approuve pas ces mesures qui le pousseront à la fainéantise.

Et, comme Lina faisait mine d'être blessée :

— Je ne dis pas ça pour vous, ma petite, mais pour tous ceux qui désormais, et ils sont nombreux, veulent être payés sans travailler.

Puis, après un instant de réflexion, elle avait ajouté :

— D'autant que vous allez aider vos parents, n'est-ce pas ?

Lina, mal à l'aise, avait acquiescé de la tête puis avait hâtivement remercié. Voilà comment elle se retrouvait assise près d'Étienne, ce matin-là, se demandant encore si quelqu'un n'allait pas surgir devant eux, dans l'une des petites gares où le train s'arrêtait, pour les empêcher de continuer leur route vers l'océan où Gino les attendait depuis la veille.

Intimidés par la présence d'inconnus dans le compartiment, ils n'osaient parler, mais ils écoutaient les conversations où se mêlaient la joie d'être en vacances et la hâte d'arriver.

— Où allez-vous, vous, les minots ? demanda un ouvrier en casquette et bleu de travail d'une cinquantaine d'années, qui venait de couper une tranche de pain et la tendait à sa femme, une petite brune toute ronde qui semblait aussi étonnée que lui de se trouver là.

— À Capbreton, répondit Étienne.

— Nous, on va à Hendaye, déclara-t-il fièrement. Et il ajouta, avec gravité :

— Il paraît que de la plage on voit l'Espagne.

La conversation avec un autre couple, dont la femme, boulotte et renfrognée, tenait un petit garçon sur ses genoux, dériva sur les franquistes qui menaçaient la République depuis le début de l'été. Pourquoi Blum n'intervenait-il pas ? Il avait donc si peur de l'Angleterre, pour refuser de fournir des armes aux Républicains ? Ils demandèrent l'avis d'Étienne qui reprit à son compte la position défendue par Gino à l'imprimerie :

— On aura bien besoin de l'Angleterre quand le fou de Berlin décidera de nous tomber dessus.

Mais l'ouvrier à casquette insista sur la couardise de Blum, en prétendant que tout le monde savait que l'Allemagne et l'Italie livraient des armes aux troupes franquistes.

— Et après l'Espagne, fulmina-t-il, ce sera notre tour !

Ni Étienne ni l'ouvrier qui était plus mesuré

dans ses propos ne trouvèrent utile de répliquer. Cela, ils le savaient. Tout comme ils savaient que cette « affaire d'Espagne » constituait une nouvelle faille dans l'unité du Front populaire, et seulement trois mois après son succès aux élections.

Étienne décida de se désintéresser de la conversation et se tourna vers Lina qui regardait au-dehors défiler les grands champs d'une immense plaine, étrangère à ce qui se passait dans le compartiment. Elle portait la même robe qu'il lui avait vue lors de leur voyage à Montalens : une robe légère de couleur bleue, à épaulettes et poignets gris, bien différente de celles des deux femmes du compartiment, et qui semblait révéler une aisance matérielle étonnante en comparaison de sa tenue à lui : une chemise à gros carreaux qui n'était pas de saison et un pantalon de toile élimé aux genoux. Étienne se sentait fier d'elle en remarquant les regards d'envie des deux femmes et ceux, plus troubles, des hommes qui devaient se demander ce qu'une jeune fille si bien vêtue faisait en compagnie d'un ouvrier. Mais il ne s'y attarda pas : comme elle, il avait hâte d'arriver, et il tentait d'imaginer à quoi allaient ressembler ces quinze jours miraculeux qui leur étaient accordés.

À Bayonne, ils changèrent de quai et mangèrent le sandwich qu'ils avaient apporté en attendant le départ du train pour Bordeaux. Ils s'amusèrent à voir chanter des ouvriers rigolards et un brin provocateurs devant une famille dont les vêtements trahissaient un milieu plus aisé :

> « Tout va très bien, madame la marquise,
> Tout va très bien, tout va très bien.
> Mais à part ça, il faut que l'on vous dise,
> On déplora un tout petit rien… »

Une fois installés dans le compartiment à banquettes de bois, ils restèrent seuls un moment face à face, les yeux dans les yeux, émus plus qu'ils n'auraient su le dire, avant que d'autres voyageurs n'arrivent, pour un voyage qui leur parut beaucoup plus court que le matin : à cinq heures de l'après-midi, ils descendirent en gare de Labenne, où les attendait, comme promis, Gino, qui serra la main d'Étienne et embrassa Lina.

— En route, mauvaise troupe ! lança-t-il avec ce sourire désarmant qu'il manifestait en toutes circonstances.

— C'est loin ? demanda Étienne.

— On a tout le temps, répondit Gino.

Lina portait à la main la petite valise qui lui avait servi à l'École normale, Étienne le sac à dos que lui avait confectionné sa mère, et où il avait enfoui un short, des sous-vêtements, et quelques affaires de toilette, mais pas de maillot de bain car il n'en possédait pas. Au bout d'une centaine de mètres, malgré les protestations de Lina, Gino prit sa valise et se mit à leur parler de ce qu'ils allaient trouver à Capbreton, mais ni l'un ni l'autre ne l'écoutait, car ils étaient tout à leur joie de marcher sur la petite route qui se frayait un chemin entre les pins de la forêt dont le parfum les enivrait et qui les mettaient à l'abri de la chaleur du jour. Ni l'un ni l'autre n'avait connu cette odeur de résine dont les pots, accrochés aux troncs, embaumaient l'air saturé de l'été. Ils ignoraient que ce serait pour eux, désormais, le parfum de la liberté, et qu'ils ne l'oublieraient jamais.

Après un kilomètre, Gino leur tendit sa gourde et Lina but la première, avant de la donner à Étienne.

— Vous inquiétez pas ! lança Gino. On va pas tarder à arriver.

S'inquiéter de quoi, quand on marchait ainsi sans contrainte, sans souci du travail à effectuer, sans entendre le moindre reproche ? Étienne avait un peu goûté à la liberté dans les rues de Toulouse en allant livrer les commandes de l'imprimerie, mais Lina jamais : après l'École normale, la maison de ses parents l'attendait inexorablement, et puis elle était entrée dans celle des Ponthier. Elle n'osait penser que cette liberté allait durer quinze jours, que rien ni personne ne viendrait lui donner un ordre ou la réprimander. Elle respirait à pleins poumons, elle était ivre, déjà, de cette première journée au milieu des pins, en compagnie d'Étienne et de Gino qui pressaient l'allure, comme s'ils avaient hâte, maintenant, d'arriver.

Une fois dans le bourg, après être passés entre des villas blanches le long d'une grande avenue fleurie de lauriers et de roses trémières, ils s'éloignèrent du centre sans s'arrêter, en direction de la forêt.

— On y est ! dit Gino.

Effectivement, au bout d'une allée gravillonnée, on apercevait le toit d'un bâtiment qui semblait être un ancien entrepôt planté au beau milieu d'une clairière au sable gris. À droite du portail qui était ouvert, une pancarte proclamait ces mots qui surprirent Étienne et Lina : « Une auberge de jeunesse est une porte ouverte. On ne sait d'où tu viens ; on ne sait où tu vas ; on ne sait qui tu es, mais tu es l'ami. » Et c'était signé « Marc Sangnier », un patronyme que ni Étienne ni Mélina ne connaissaient.

Mais à peine leurs pieds eurent-ils foulé le sable brûlant de l'enclave qu'une vingtaine de filles et de garçons surgirent du bâtiment pour les entourer et chanter :

« Allons au-devant de la vie
Allons au-devant du progrès
Et pour que chacun ne nous envie
Créons du bonheur sans arrêt… »

Stupéfaits, ne sachant que dire ni que faire, Étienne et Lina demeurèrent immobiles, un peu gênés, tandis que les filles et les garçons continuaient de chanter ces refrains que tous paraissaient connaître par cœur. Enfin ils furent entraînés par des mains impatientes, elle dans le dortoir des filles, lui dans le dortoir des garçons qui étaient séparés par une cloison de planches, et dès lors chaque minute, chaque heure ne ressembla en rien à celles qu'ils avaient jusqu'à ce jour vécues.

Elles se prénommaient Maria, Amélie, Sylvie, Roxane, Madeleine, Adélaïde, ces filles qui se présentaient à Mélina avec un naturel, une spontanéité auxquels elle n'était pas habituée. Elles lui montrèrent où s'installer, où ranger ses affaires, où se laver, lui expliquèrent comment fonctionnait la petite communauté en ce qui concernait les courses, la cuisine, la vaisselle, tout ce qui permettait de vivre dans une camaraderie d'où devait être absent le moindre conflit. Mélina écoutait l'une et l'autre avec un peu l'impression de se retrouver à l'EPS, mais avec beaucoup plus de sérénité, du fait qu'ici rien ne la menaçait : ni la directrice, ni les professeurs, ni les lettres de ses parents. L'une venait de Paris, l'autre de Bordeaux, la troisième de Mont-de-Marsan, elles étaient ouvrière, employée, étudiante, l'une était blonde, l'autre brune, vêtues d'un short et d'une chemisette à manches courtes, déjà brunies par le soleil.

— Et toi, tu viens d'où ? demanda la plus grande, la plus belle, qui s'appelait Adélaïde et paraissait diriger les opérations.

Et, comme Mélina, surprise par le tutoiement, hésitait à se livrer si vite :

— Tu n'es pas obligée de répondre, tu sais. Mais il faut que tu saches qu'ici, d'où que nous venions, quoi que nous fassions, il n'y a aucune différence entre nous.

— Je viens de Toulouse, dit Mélina.

Et toutes se mirent à chanter d'une même voix :

« Elle est des nôtres
Elle devient ajiste comme les autres ! »

Puis, dans un même élan, après un couplet inventé sur-le-champ, elles l'entraînèrent au-dehors, où elles retrouvèrent les garçons devant le robinet qui, sous un appentis couvert de tôle, servait à la cuisine. Tous et toutes s'assirent à l'ombre, Mélina près d'Étienne, comme si elle avait eu peur de le perdre, dans l'attente du père de l'auberge qui avait pour habitude d'accueillir tous ceux qui arrivaient et découvraient les lieux. Il apparut rapidement, précédé par Gino qui l'aidait dans sa tâche. M. Peyrelongue, contrairement à ce qu'évoquait son nom, était un homme court et trapu, chauve, les yeux noirs, qui roulait les « r », trahissant ses origines catalanes.

Il souhaita la bienvenue à tous et énuméra les règles de vie de la communauté :

— Nos auberges sont suspectées des pires turpitudes, je vous le rappelle. En conséquence, nous devons être irréprochables. Je demande donc aux nouveaux arrivants comme à ceux qui les ont précédés de vivre dans une franche camaraderie et de ne jamais prêter le flanc à la moindre critique. Surtout lorsque vous irez au village pour les courses, ou lorsque vous serez sur les plages. Habillez-vous correctement et tenez-vous bien !

Il s'éclaircit la gorge, dévisagea un instant son auditoire, puis reprit :

— Ce lieu est un lieu de rencontres et d'échanges, mais les relations entre ses membres doivent demeurer des relations d'amitié et de respect.

Il s'arrêta, sourit, et conclut en ajoutant :

— Je vous remercie par avance de ne jamais oublier qui nous sommes et pourquoi nous sommes là !

Dès qu'il s'en alla, les filles s'emparèrent des couteaux et les donnèrent en riant aux garçons, avec mission de peler des pommes de terre pour le repas du soir. Mélina s'étonna de n'entendre aucune protestation, pas même de la part d'Étienne peu habitué à ces corvées. Elle sourit en le regardant maladroitement manier son couteau et observer ses voisins, afin de prendre exemple sur eux. Elle voulut voler à son secours, mais Adélaïde l'en empêcha en affirmant que le partage des tâches était un des principes de la communauté. Ce soir : aux garçons les pommes de terre, aux filles les œufs et les feuilles de salade à trier et nettoyer. Aux garçons la corvée de bois, aux filles la vaisselle, et l'on changerait la semaine prochaine.

Le repas se prit sur la longue table posée sur des tréteaux, chacun s'asseyant devant l'une des assiettes ébréchées que M. Peyrelongue avait récupérées chez un marchand soldeur, puis en utilisant des couverts dépareillés, dont les fourchettes ne possédaient pas toutes leurs dents. Mais qu'importait cela ! Les rires entrecoupaient la conversation qui roulait sur le fait de savoir si ce soir l'on ferait un feu de camp ici même ou sur une plage de l'océan. Étienne et Mélina, en tant que nouveaux arrivants, furent désignés pour la corvée des provisions le lendemain matin, au moyen du tandem qu'avait apporté avec lui M. Peyrelongue, et chacun leur fit des recommandations censées les éclairer sur les commerçants du bourg, mais dans une cacophonie qui se termina rapidement en chansons, comme c'était la coutume.

« Nous sommes la jeunesse ardente
Qui vient escalader le ciel
Dans un cortège fraternel
Unissons nos mains frémissantes
Sachons protéger notre pain.
Nous bâtirons un lendemain qui chante… »

Après quoi il fut décidé par les filles d'allumer le feu de camp dans l'enceinte de l'auberge, car il y avait presque deux kilomètres entre elle et la plage, et les nouveaux ajistes devaient être fatigués. Étienne et Mélina se récrièrent : ils avaient très envie de voir l'océan, même à la nuit tombée, mais déjà chaque fille portait une brassée de bois derrière l'appentis, à l'abri du vent, et chacun s'installa en cercle pour la veillée traditionnelle qui, comme il se devait, commença par des chansons :

> « Auprès de ma blonde
> Qu'il fait bon, fait bon, fait bon... »

Mélina s'était assise près d'Étienne, tout contre lui, et son seul regret, dans cette journée qui s'achevait dans la lueur rougeâtre des flammes, c'était de ne pouvoir se retrouver seule avec lui. Elle n'avait jamais entendu Étienne chanter, et elle en était émue au point de s'arrêter pour l'écouter. Que se passait-il dans sa vie, aujourd'hui ? Qu'est-ce que tout cela signifiait ? Comment un tel miracle était-il devenu possible ? Elle ferma les yeux, se demanda si elle ne rêvait pas, mais elle comprit qu'elle était bien éveillée quand des bras passèrent sous les siens : à sa gauche celui d'Étienne et à sa droite celui de Roxane, tandis qu'une plainte montait soudain en face d'elle, déchirante dans la nuit, et qui, d'abord, l'effraya.

Elle n'avait jamais entendu de violon, et c'était Adélaïde qui s'était mise à jouer un air de musique tsigane, car elle était musicienne et avait apporté son instrument avec elle. Et cette musique inconnue, si émouvante, soulignée seulement par le crépitement du feu, arracha quelques larmes à Lina qui découvrait la vraie beauté, celle dont elle avait rêvé si souvent. Elle devinait qu'Étienne était ému comme elle – comme tous ceux, ici présents, dont la jeunesse rencontrait l'indicible, l'inexprimable autrement que par la grâce d'une musique venue de très loin, et enfin accessible.

Cela dura longtemps, très longtemps, et Lina ne sentit pas les minutes passer. Après la musique tsigane, il y en eut d'autres, tout aussi envoûtantes, puis le violon s'arrêta brusquement, et le silence retomba sur les garçons et les filles incapables de parler, encore sous le charme de l'instrument magique venu leur apporter la révélation d'un monde qui leur avait toujours été étranger.

M. Peyrelongue, qui s'était approché dans la pénombre, suggéra qu'il était peut-être temps d'aller dormir, et les membres de l'assemblée se levèrent un à un, péniblement, comme s'ils avaient du mal à s'arracher à l'enchantement des deux heures passées autour du feu de camp. Les filles et les garçons se séparèrent devant les dortoirs en se souhaitant une bonne nuit, et Lina alla s'allonger sur une paillasse posée à même le plancher, entre Adélaïde et la cloison de séparation. Il y eut quelques rires, quelques murmures, puis le silence se fit et elle demeura pensive un long moment, les yeux grands ouverts, avec le vague regret de ne pas pouvoir s'endormir près d'Étienne.

Quelque chose de grand et d'envoûtant venait d'entrer dans sa vie. Quelque chose qu'elle n'avait pas connu à l'EPS et qu'elle ne parvenait pas à définir. Pour la première fois, peut-être, elle se sentait à sa place, acceptée et non plus tolérée, dans une aventure où nulle menace ne rôdait, et dans laquelle l'harmonie de la jeunesse, de la musique et de la liberté la comblait.

Elle s'éveilla en sursaut en entendant chanter autour d'elle, étonnée de la lumière qui coulait dans le dortoir :

> « En avant ! Jeunesse de France,
> Faisons se lever le jour… »

Elle se redressa en se frottant les yeux, sourit à celles qui l'entouraient et qui l'aidèrent à se lever en lui prenant les mains et en criant :

— Debout ! Debout ! Pas de fainéants chez nous !

Elle fut accompagnée au-dehors, jusque devant l'un des robinets qui se trouvait à droite de l'entrée du dortoir, et enfin on la laissa seule pour sa toilette, non sans lancer en représailles devant son retard :

— Demain, corvée de petit déjeuner !

Dix minutes plus tard, elle prenait place devant un bol de lait et une tartine de pain recouverte de beurre et de confiture, face à Étienne qui n'avait osé venir l'embrasser, mais dont le regard ne la quittait pas. Il avait plu un peu pendant la nuit, mais l'aube du mois d'août avait chassé les rares nuages venus de l'océan, en quelques souffles de vent salé. Tout en mangeant, elle se souvint qu'elle avait été chargée d'aller au village avec Étienne, et se hâta d'en finir.

Mais une épreuve l'attendait, à laquelle elle n'avait pas songé : elle n'était jamais montée sur une bicyclette. Heureusement il s'agissait d'un tandem, de couleur grise et de marque Alcyon, qu'Étienne, habitué au vélo de livraison de l'imprimerie, devait pouvoir conduire sans trop de difficulté. Le tandem possédait deux grandes sacoches de chaque côté du porte-bagages, destinées à recevoir les provisions dont la liste venait de leur être fournie par Gino, lequel se moqua de Lina en raison de sa maladresse. Enfin, après deux vaines tentatives de départ, le tandem put se mettre en route, tanguant un peu, puis de plus en plus stable au fur et à mesure qu'il s'éloignait.

Dès qu'ils furent assez loin, Étienne mit pied à terre et invita sa passagère à faire de même.

— Qu'est-ce qu'il y a ? fit Lina, qui était à la fois satisfaite de savoir tenir l'équilibre et inquiète de ne pouvoir redémarrer.

— Devine ! fit-il.

Il l'enlaça et l'embrassa comme la première fois à Toulouse, sans qu'elle songe à s'en défendre malgré la surprise. Puis ils firent quelques pas, poussant le tandem, incapables de prononcer les mots que leur soufflait pourtant le plaisir d'être seuls dans le matin étincelant de lumière, un bonheur trop grand, depuis la veille, et qui les effrayait un peu. Est-ce qu'il allait durer ? N'allaient-ils pas rencontrer un obstacle, soudain, comme souvent depuis qu'ils se connaissaient ?

— Alors ? fit Étienne juste avant de remonter sur le tandem. Qu'est-ce que tu penses de tout ça ?

Et, comme elle ne répondait pas, se contentant de respirer à pleins poumons ce parfum d'aiguilles de pin et de résine découvert la veille :

— Comment les trouves-tu ?

— Qui ça ?

— Les filles.

— Elles sont gentilles.

— Et le violon d'Adélaïde ?

— C'est très beau.

Elle ajouta, dans un soupir :

— Mais on ne sera pas souvent seuls.

— Ne t'inquiète pas. On trouvera bien l'occasion.

Il l'embrassa de nouveau puis l'aida à remonter sur le tandem qui redémarra avec moins de difficulté que lors du premier départ, et il leur fallut dix minutes seulement pour atteindre les commerces du centre-ville où ils firent provision de pain, de pâtes, de riz et de boîtes de sardines, comme le leur indiquait la liste des provisions fournie par Gino.

— C'est un peu le chef, Gino, remarqua Mélina.

— Il s'occupe des papiers et des démarches à effectuer avec M. Peyrelongue. Il est chargé aussi des provisions les plus importantes avec une camionnette que leur prête un artisan du village. Et comme il travaille, il ne paye pas. C'est pour cette raison qu'il a pu nous aider.

Au lieu de rentrer, ils se dirigèrent vers l'autre extrémité du bourg, puis ils marchèrent le long d'un canal qui, derrière une digue, se jetait dans l'océan. Pour la première fois de sa vie Étienne aperçut l'immense étendue d'eau vert et bleu dont les vagues venaient mourir doucement sur le sable et il en resta ébloui, incapable d'avancer, alors que Lina lui tendait la main :

— Viens, dit-elle. Viens !

Elle s'était déchaussée et l'invitait à faire de même, mais il n'osait pas.

— Et le tandem ? fit-il.

— On le voit. Ne t'inquiète pas.

Il la rejoignit et ils marchèrent un moment dans l'eau, main dans la main, silencieux, attentifs seulement au murmure du ressac et à la lumière aveuglante du ciel qui les faisait cligner des yeux, submergés par la sensation d'être seuls au monde.

— Cet après-midi on se baignera, dit Lina. C'est Adélaïde qui me l'a dit : ils vont à l'océan tous les jours.

Étienne pensa aux baignades dans la Garonne, mais il lui sembla que cela se passait de l'autre côté du temps, il y avait mille ans. Il n'en dit rien à Lina pour ne pas briser le charme, et ils revinrent en courant vers le tandem appuyé contre une murette.

— Viens vite ! dit-il. Ils doivent nous attendre.

Elle remonta, sans difficulté, cette fois, sur la bicyclette et ils pédalèrent comme des fous vers l'enceinte de l'auberge où Gino se trouvait seul.

— Où sont-ils ? demanda Étienne.

— Dans la forêt, comme tous les matins.

Et il ajouta, malicieux :

— Vous vous êtes perdus ?

— Non, fit Étienne. On a été à l'océan.

— Tu l'as vu ?

— Oui, je l'ai vu.

— Et alors ?

Étienne fit un ample geste des bras, murmura :

— On n'imagine pas que ça puisse être aussi grand. Enfin, en tout cas, je n'aurais jamais cru voir un jour quelque chose comme ça.

Et il poursuivit, tout bas :

— Merci !

Gino fit comme s'il n'avait pas entendu, et il annonça aussitôt, dans un éclat de rire :

— Ceux qui sont de corvée de provisions sont aussi chargés de la cuisine de midi ! Au travail, fainéants !

Lina se mit en devoir de faire cuire le riz, tandis qu'Étienne ouvrait les boîtes de sardines, puis ils dressèrent la table, coupèrent le pain et attendirent l'arrivée des ajistes qui ne tardèrent pas, affamés qu'ils étaient par leur promenade en forêt.

« Trois jeunes tambours s'en revenaient de guerre
Trois jeunes tambours s'en revenaient de guerre
Et ri et ran, ranpataplan
S'en revenaient de guer-er-re… »

Les chants cessèrent dès qu'ils se furent précipités vers la table, et ils se mirent à manger dans un silence étonnant, soudain, tandis que M. Peyrelongue apparaissait pour partager leur repas. Étienne remarqua que Gino était assis près d'Adélaïde dont les longs cheveux descendaient jusqu'au bas de son dos, et il songea qu'elle ne devait pas lui être indifférente. Le connaissant comme il le connaissait, il se dit que les recommandations de M. Peyrelongue ne devaient pas l'inquiéter beaucoup et cela le rassura. Ils n'auraient sans doute pas à se cacher, Lina et lui, pour vivre ce qui les avait amenés ici : l'espoir de passer ensemble le plus de temps possible.

Après des pêches distribuées par Gino qui en avait ramené trois cagettes dans la camionnette, la petite troupe gagna les dortoirs pour un peu de repos à l'ombre, car il faisait très chaud.

— On partira à quatre heures pour la grande plage, lança Adélaïde. Il y a trop de monde sur celle du village.

Ni Étienne ni Lina n'osèrent refuser de regagner les dortoirs, malgré leur envie de demeurer ensemble. Elle comprit qu'ils avaient été devinés quand Adélaïde, se tournant vers elle, lui demanda en souriant :

— C'est ton petit ami, Étienne, pas vrai ?

Elle n'eut pas une hésitation :

— Oui, dit-elle, depuis longtemps.

— Vous êtes jeunes, pourtant.

— On allait à l'école ensemble, à Montalens.

Et, sans bien savoir pourquoi, se sentant en confiance, elle se lança dans le récit de leur vie, jusqu'à Toulouse. Ce qui toucha le plus Adélaïde, ce fut d'apprendre que Lina avait dû abandonner ses études.

— Ç'aurait été atroce pour moi, dit-elle, si j'avais dû renoncer à la musique.

— Mais ton métier, c'est quoi ? s'enquit Lina.

— Mon métier, c'est la musique. Je donne des cours à Bordeaux, où j'habite, et je joue dans un orchestre.

— On peut vivre de la musique ? s'exclama Lina, étonnée par cette découverte.

— On peut vivre de tout. Il suffit de le vouloir vraiment.

Et, comprenant qu'elle avait peut-être blessé Lina :

— Excuse-moi, dit-elle, tout a été facile pour moi. Mes parents avaient les moyens. Je suis sans doute une privilégiée, mais j'en suis consciente et c'est pour cette raison que je suis ici, aujourd'hui : pour faire partager à d'autres ce que j'ai eu la chance d'apprendre.

— C'est si beau ! fit Lina.

Adélaïde sourit, expliqua encore que son père était un professeur de philosophie qui n'enseignait plus, car il était un élu socialiste du Front populaire dans une circonscription du Bordelais.

— Quel âge as-tu ? osa demander Lina.

— Vingt et un ans.

— Et Gino ? souffla Lina, stupéfaite de son audace mais de plus en plus persuadée d'avoir trouvé une amie :

— Il me plaît, dit Adélaïde. J'adore l'Italie : Rossini, Verdi, et tous les autres. J'y suis allée il y a deux ans avec mon père et ma mère.

— Elle travaille, ta mère ?

— Elle est sage-femme. Si je n'avais pas découvert la musique, j'aurais fait comme elle. C'est merveilleux de mettre des enfants au monde.

Lina demeura rêveuse un moment. À l'EPS, elle n'avait jamais entendu de tels propos et il lui semblait qu'elle était enfin entrée dans l'univers dont elle avait toujours soupçonné l'existence, sans jamais pouvoir y accéder. Et pourtant elle avait admiré ses professeurs, noué des liens avec des amies qui l'avaient aidée, mais aujourd'hui, ce n'était pas la même chose : rien ne venait ternir les propos ou les gestes, tout semblait possible, les idées avaient remplacé les préoccupations matérielles, on était dans le rêve, dans le partage, dans l'inconnu. Elle eut l'impression qu'Adélaïde s'endormait près d'elle, car elle se taisait à présent et sa respiration devenait plus régulière. Elle demeura pensive un long moment puis elle s'endormit elle aussi, dans un long soupir d'aise.

Il faisait très chaud dans le dortoir quand elle se réveilla en entendant chanter autour d'elle. Elle ouvrit les yeux et vit les filles, qui déjà, s'apprêtaient à partir :

— Debout ! Debout ! lui cria-t-on. Toujours en retard ! Toujours à dormir !

Lina n'aperçut pas Adélaïde qui se trouvait au-dehors, près du robinet de toilette, et elle se hâta de se lever pour aller passer son maillot de bain derrière le paravent qui servait à préserver la pudeur des ajistes. Elle revêtit par-dessus la robe de plage légère, à taille basse, de couleur blanche que lui avait achetée sa patronne à Saint-Jean-de-Luz et elle apparut dans cette tenue luxueuse devant les filles et les garçons qui attendaient les retardataires, provoquant des exclamations de surprise et d'admiration. Rougissante, elle se réfugia derrière Étienne, qui lui sembla gêné aussi, et elle comprit pourquoi quand Lucien, un docker qui travaillait sur les quais de Bordeaux, lança :

— Mazette ! Une bourgeoise parmi nous !

Et c'est vrai qu'elle était belle ainsi, Lina, bronzée par les quinze premiers jours à Saint-Jean-de-Luz, fine comme une liane, ses boucles brunes tombant jusque sur ses épaules, ses yeux noirs cherchant à droite et à gauche un refuge pour ne plus être le centre d'attention des ajistes. Heureusement, Adélaïde vint à son secours en lui prenant le bras et en jetant :

— Une bourgeoise qu'on a retirée de l'école alors qu'elle voulait faire des études !

Un bref silence succéda à ces mots qui allèrent droit au cœur de Lina, puis la joyeuse troupe s'ébranla en direction de la grande plage océane qui se trouvait à deux kilomètres du camp, et Lina se sentit soulagée, malgré le regard que lui lança Étienne, dans lequel elle lut quelque chose d'inconnu, mais de terriblement troublant.

— Qu'est-ce qu'il y a ? fit-elle.

— Rien, dit-il.

Et il ajouta, tandis qu'elle lui prenait le bras pour l'arrêter :

— Tu es belle, et tout le monde s'en rend compte.

Elle haussa les épaules, mais comprit qu'il refusait de la partager, qu'elle n'était qu'à lui, et ce début de jalousie, en lui pinçant le cœur, la fit sourire et la ravit.

Ils traversèrent le bourg, tournèrent à gauche au bout de l'avenue et se mirent à longer l'océan où, plus loin, un passage s'ouvrait entre deux petites dunes qui s'inclinaient en pente douce vers une immense plage. Aussitôt en bas, les filles et les garçons se précipitèrent vers l'eau, Lina prenant la main d'Étienne pour entrer dans les vagues. L'une d'elles les renversa et ils furent roulés sur quelques mètres, s'accrochant l'un à l'autre des bras et des jambes, puis se relevant en riant, des gouttes d'eau et de lumière dans les yeux, prêts à s'élancer de nouveau, et de plus en plus loin. Ils se retrouvèrent ainsi isolés, et il chercha à l'embrasser, mais elle refusa, craignant d'être aperçue. Ils nagèrent un long moment côte à côte, puis ils revinrent vers la plage et s'allongèrent sur le sable chaud, l'un près de l'autre. Le maillot de bain de Lina lui collait au corps, dessinant les rondeurs harmonieuses de ses cuisses et de sa poitrine, et attirant de nouveau le regard d'Étienne.

— Pourquoi tu me regardes comme ça ? s'exclama-t-elle.

— Pour rien, dit-il.

Mais elle savait. Elle avait compris. Ils n'étaient plus ces enfants qui nageaient dans la Garonne avec la plus totale innocence. Ils avaient grandi, tout simplement, et désormais leur corps avait un tout autre langage.

— Elles ne s'arrêtent jamais ? demanda Étienne en désignant les vagues de la main, cherchant à faire diversion.

— Jamais, dit-elle. L'océan, c'est comme ça.

Mais déjà les filles et les garçons les rejoignaient et faisaient cercle autour d'eux pour chanter, d'abord, ensuite pour pratiquer des jeux de groupe, comme le foulard ou le béret, qu'Étienne n'apprécia pas, car il remarqua que les garçons sollicitaient beaucoup Lina. Puis la conversation roula sur Blum et Léo Lagrange, dont tous, ici, étaient de fervents partisans. Deux des ouvriers présents, prénommés Serge et Jean-Pierre, penchaient plutôt pour le Parti communiste, mais sans la moindre agressivité envers ceux qui ne partageaient pas leurs idéaux. L'unanimité se faisait, comme d'habitude, pour le pacifisme et donc le refus de la guerre, en Espagne ou ailleurs.

Enfin, comme il faisait très chaud, les ajistes repartirent vers l'eau, et se lancèrent dans la « bataille navale » souhaitée par Roxane, qui consistait, pour les garçons, à prendre les filles sur leurs épaules et à tenter de précipiter leurs adversaires dans l'eau. Après plusieurs victoires, il fallut changer de partenaire, et Étienne dut laisser Lina monter sur les épaules de Serge, ce qui le contraria. D'autant qu'elle riait en se battant, et réussit à le renverser, lui et sa cavalière. Il ne devina pas qu'elle s'ingéniait à exacerber sa jalousie et s'en amusait. Heureusement, le jeu cessa avant qu'il ne dégénère, à l'appel d'Adélaïde qui avait compris ce qui se passait.

Après une ultime baignade, il fallut partir car l'après-midi était avancé. Au lieu de longer la route, ils coupèrent à travers la forêt, dont les lourds parfums de résine stagnaient au ras du sol, comme alourdis par la chaleur du jour. Étienne résolut alors de ne pas rester à la hauteur de Lina pour lui manifester sa mauvaise humeur. Elle fit comme si elle ne remarquait rien, mais elle marcha près d'Adélaïde et non près d'un garçon, afin de ne pas le contrarier davantage.

Et puis ce fut la préparation du repas du soir – pâtes et rôti froid – et la veillée à l'abri de l'appentis, mais une veillée à laquelle participa M. Peyrelongue, en donnant, pour thème de discussion, cette phrase de Léo Lagrange : « Aux jeunes, il ne faut pas tracer un chemin, il faut ouvrir toutes les routes. » Les filles, surtout, y participèrent, y compris Lina, qui avait appris à parler devant un groupe à l'EPS. Mais Étienne comprit à quel point il avait du mal à s'exprimer, et il renonça très vite, une fois clair dans sa tête qu'il ne possédait pas les mots nécessaires à de tels échanges. Il en fut mortifié, se tut. M. Peyrelongue, qui le devina, donna lui-même la parole à tous ceux que l'on n'avait pas encore entendus, puis l'atmosphère se détendit totalement quand des chants, de plus en plus légers, succédèrent à la conversation :

> « Marinella !
> Ah… reste encore dans mes bras… »

Lina avait manœuvré discrètement pour se rapprocher d'Étienne et lui avait pris la main dans l'obscurité qui s'étendait sur les ajistes comme le feu s'éteignait. Enfin, avant de se séparer pour gagner les dortoirs, elle l'embrassa furtivement et s'enfuit en courant.

Le lendemain matin, dispensés de corvées, ils se rendirent dans la forêt où Gino et Adélaïde organisèrent des jeux de piste qui les occupèrent jusqu'à midi. Étienne et Lina firent équipe ensemble et s'égarèrent volontairement, afin d'être un peu seuls. Ils s'allongèrent à l'ombre des pins, écartèrent les aiguilles sèches pour trouver le sable.

— Je ne veux pas que tu montes sur les épaules des autres, fit brusquement Étienne.

— Pourquoi ? demanda-t-elle avec une fausse innocence qui l'agaça.

— Tu sais très bien pourquoi.

— Non. Je ne sais pas.

— Arrête ! fit-il en se redressant sur un coude, des éclairs de colère dans les yeux.

Elle sourit, murmura :

— De quoi as-tu peur ? Tu sais bien que je ne vois que toi.

— J'ai pas cette impression.

Elle soupira, reprit :

— Il faut jouer le jeu de la communauté. Il ne doit pas y avoir d'amoureux, ici, seulement des amis.

Il ne répondit pas, l'attira contre lui de nouveau et ils demeurèrent ainsi un long moment, jusqu'à ce qu'un appel, venu de la clairière voisine, les fasse se lever et courir vers les autres qui ne leur demandèrent même pas s'ils avaient trouvé le trésor caché par Adélaïde : tous savaient, maintenant, quels liens les unissaient et pourquoi ils s'isolaient volontiers. Ils rentrèrent en chantant pour le repas de midi, puis ce fut de nouveau la grande plage en milieu d'après-midi, et le soir l'assemblée des ajistes, comme la veille.

Au fil des jours, Étienne s'apaisa et ne songea plus qu'à la camaraderie entre lui et les garçons qui lui ressemblaient : tous étaient ouvriers, ou employés. Un seul était étudiant en sciences physiques à Bordeaux, mais il s'efforçait de ne pas exhiber son savoir et se conduisait exactement comme les autres. Il se prénommait Charles, se montrait toujours optimiste, gai, confiant dans le Front populaire aussi bien que dans le peuple allemand qui, selon lui, ne suivrait jamais Hitler dans un conflit avec les nations européennes. Cet optimisme fut confirmé le 20 août par l'arrivée de deux jeunes, prénommés Helmut et Martha, qui s'étaient assigné la tâche de venir en France pour montrer que la jeunesse allemande ne marchait pas toute derrière les nazis, mais, au contraire, refusait de participer à la folie collective qui avait embrasé leur pays.

Étienne et Lina furent émerveillés de pouvoir parler à deux jeunes étrangers qui avaient adopté aussitôt arrivés le tutoiement des ajistes et manifestaient leur confiance en l'avenir. Ils se désolèrent de les voir partir quarante-huit heures plus tard pour aller porter leur message d'espoir dans d'autres communautés, et chantèrent au moment de leur départ cet air qui les bouleversa :

> « Ce n'est qu'un au revoir, mes frères,
> Ce n'est qu'un au revoir
> Oui, nous nous reverrons, mes frères,
> Ce n'est qu'un au revoir… »

Les jours se mirent à passer trop vite jusqu'au dimanche soir de la première semaine où il fut décidé d'aller faire la veillée sur la grande plage. Ce furent deux heures merveilleuses que les chants et les conversations sous les étoiles embellirent encore davantage. Le sable demeurait chaud de la chaleur du jour, les vagues venaient mourir doucement en bas de la dune, les étoiles paraissaient si proches qu'on avait l'impression de pouvoir les toucher de la main.

C'est ce que murmura Lina à l'oreille d'Étienne qui ne répondit pas : il était sous le charme de cette nuit qui semblait ne devoir jamais finir. Certains, qui avaient apporté leur maillot de bain, allèrent prendre un bain de minuit, mais Étienne et Lina en profitèrent, une nouvelle fois, pour s'éloigner, et, une fois allongés, elle vint poser sa joue sur le torse d'Étienne qui avait ouvert sa chemise. Le contact de cette peau tiède et au goût de sel la fit frissonner. Elle ne protesta pas quand lui-même voulut passer une main sous sa chemisette et caresser un sein, pour la première fois. Il s'enhardit alors et voulut basculer sur elle, mais elle se dégagea en murmurant :

— Non ! Étienne.

Elle se sentait coupable à la fois parce qu'ils trahissaient la confiance de M. Peyrelongue, mais aussi parce qu'elle devinait trop bien quelles conséquences pouvait avoir un abandon aussi rapide. Elle se releva et lui tendit la main pour regagner le cercle où les baigneurs revenaient en se moquant d'eux, qui n'avaient pas eu le courage d'aller à l'eau. Ensuite ils rentrèrent en coupant à travers la forêt, et, comme chaque soir, ils eurent bien du mal à se séparer, au moment de gagner les dortoirs.

Des nuits comme celle-là, il y en eut deux, encore, aussi étoilées, aussi magiques, avec la sensation que ces vacances allaient durer toujours, que rien ne viendrait interrompre l'enchantement né le premier jour, ni la gaieté ni les rêves devenus soudain réalisables, à portée de la main. Le dernier soir, venus une dernière fois s'allonger sur cette plage où ils se sentaient si bien, Étienne murmura :

— Dès que j'aurai un vrai salaire, on se mariera.

Lina se demanda si elle avait bien compris, et ne répondit pas.

— Tu m'entends ? fit-il.

— Non ! mentit-elle. Qu'est-ce que tu me disais ?

— Je te disais que dès que j'aurais un salaire, on se marierait.

— On est trop jeunes. Il me faudra l'autorisation de mes parents, et ils ne me la donneront pas. Ils ont besoin de moi.

— S'ils ne te la donnent pas, on s'en passera, décréta-t-il en la prenant dans ses bras.

Et elle n'eut pas la force de lui opposer tous les arguments qui lui venaient à l'esprit et qui lui semblaient autant d'obstacles à sa proposition. Mais elle s'endormit ce soir-là avec la conviction que c'étaient ces mots-là qu'elle était venue entendre sur cette plage au bord de l'océan – des mots qu'elle espérait depuis toujours, et qui aujourd'hui venaient récompenser sa grande patience, sa détermination d'enfant devenue grande.

Le lendemain matin, il pleuvait, comme si le ciel désirait s'associer à leur chagrin de devoir abandonner ces lieux qui les avaient rapprochés, au point qu'ils n'imaginaient pas devoir se séparer le soir même en gare de Toulouse. Les adieux à Roxane, Adélaïde, Maria, Jean-Pierre, Serge, tous les autres furent douloureux, mais ils se promirent de revenir l'année prochaine, à la même époque. Ils échangèrent leurs adresses, se remémorèrent tous les bons moments vécus ensemble, puis il fallut se quitter, non sans avoir chanté ce refrain qui, chaque fois qu'elle l'entendait, ravageait le cœur de Lina :

> « Ce n'est qu'un au revoir, mes frères,
> Ce n'est qu'un au revoir... »

À onze heures, ils partirent vers la gare de Labenne à pied, comme ils étaient venus, mais sans Gino, cette fois, qui prendrait le train du soir. Ils marchèrent tristement entre les pins dont le parfum, exacerbé par la pluie du matin, les accompagna sur la petite route déserte.

À mi-chemin, Lina s'arrêta brusquement et dit :

— Je ne peux pas croire qu'on va se séparer. Je ne vais pas pouvoir.

Étienne tenta de la consoler :

— À Toulouse, même si on ne se voit pas, on est près l'un de l'autre. Et chaque fois que tu iras à Montalens, je t'accompagnerai.

Il lui prit la main pour la forcer à repartir et ne la lâcha pas. Une fois dans le train, comme la tristesse s'appesantissait entre eux, il lui dit encore :

— Pense que l'an prochain nous recommencerons.

— C'est trop loin, souffla-t-elle. Oh ! Étienne, c'est trop loin...

Elle lutta contre les larmes, car ils n'étaient pas seuls dans le compartiment, mais elle souhaita follement que le train n'arrive jamais à Toulouse. Il fallut bien, pourtant, se séparer, sur le quai même, car Lina avait écrit, donné l'heure de son arrivée, et la voiture avec chauffeur devait l'attendre devant la gare. Ce fut Étienne qui, l'ayant embrassée, fit le premier pas pour s'éloigner, alors qu'elle demeurait immobile, dévastée, les yeux noyés au souvenir de ces quinze jours qu'elle ne pourrait jamais oublier.

12

Cette année 1936 avait été pour eux, comme pour beaucoup, l'année de tous les rêves. Des rêves nés de la victoire du Front populaire, des congés payés, des espoirs de paix, d'un mariage à venir, d'une vie à construire mais riche de tout ce que le monde, autour de soi, peut promettre quand il se montre généreux. Étienne avait repris son travail au milieu des disputes de plus en plus violentes à cause de l'Espagne, Cordocou traitant Blum de criminel, tant il était pour lui évident que l'Allemagne et l'Italie ne s'embarrassaient pas autant de scrupules que la France et l'Angleterre, comme le prouvaient les bombardements sur Madrid. Sur un mur de la gare Matabiau, une main anonyme avait écrit au pinceau : « Des avions pour l'Espagne ». Et dessous : « Hitler + Franco = Blum ».

Marius avait bien du mal à ramener le calme entre Gino et Cordocou chaque matin, après la lecture des journaux. Étienne tentait de se réfugier dans le travail mais souvent, n'y tenant plus, il volait à la rescousse de Gino et lançait à Cordocou :

— Pourquoi tu n'y vas pas, toi, en Espagne ?

— Si j'avais ton âge, répliquait le prote, j'y serais déjà. Mais la seule chose qui vous intéresse, vous, les jeunes, c'est les congés payés.

Un matin, ils en vinrent aux mains, et la mêlée fut générale, au point que Marius s'écria, à bout de nerfs :

— Si ça continue comme ça, je ferme la boutique !

Ces dissensions symbolisaient celles qui agitaient le pouvoir à Paris et chacun le savait. L'atmosphère devenait de plus en plus pesante dans l'imprimerie d'où Étienne, heureusement, s'échappait pour livrer les commandes, comme il en avait l'habitude. Et parfois il pédalait à toutes jambes vers Ramonville, pour tenter d'apercevoir Lina, mais il y parvenait rarement, et il attendait seulement quelques minutes qui le laissaient amer, furieux de la savoir prisonnière jour et nuit dans cette demeure trop grande et trop belle.

Chaque fois qu'elle se rendait à Montalens, elle le prévenait par lettre et il la suivait jusqu'à la Garonne, errait un long moment devant la maison aux portes et aux fenêtres closes d'Eugène, toujours aussi bouleversé par cette absence si révélatrice à ses yeux d'un monde en voie de disparition, puis, fuyant les remords et la douleur de n'avoir su le préserver, il rejoignait Lina. Il n'hésitait plus, en effet, à demeurer près d'elle devant sa mère qui, du reste, la première surprise passée, avait fini par trouver cette présence normale : ne se connaissaient-ils pas depuis toujours, ces enfants ? Elle en profitait pour interroger Étienne au sujet de la grande ville, demandait des nouvelles de sa mère, et ressassait des souvenirs du temps où les deux femmes vivaient proches, tandis que Lina s'affairait dans la maison grise, mais comme rassurée par la présence d'Étienne. D'autant que le père s'absentait dès leur arrivée, et qu'il ne réapparaissait pas avant le soir, car il avait pris l'habitude de fréquenter le bistrot de Montalens.

— Oui, geignait la mère, il s'est mis à boire.

Elle ajoutait dans un soupir accablé :

— Que voulez-vous que j'y fasse ? Je ne peux pas lui courir après !

Elle concluait, guettant leur réaction entre ses cils mi-clos :

— Si je suis seule un jour, je n'aurai plus qu'à mourir.

Ils se posèrent la question de savoir si elle ne souhaitait pas rester seule, précisément, pour que Lina soit obligée de revenir s'occuper d'elle définitivement.

Et ce qu'ils redoutaient se produisit en novembre quand le père, qui rentrait de nuit complètement ivre, se noya dans la Garonne en crue. Lina dut alors demander des congés à sa patronne en expliquant pourquoi. Devant la perspective de perdre sa gouvernante, Mme Ponthier s'entremit et trouva une place pour la mère devenue veuve à l'hospice de la Grave. Lina n'eut guère de chagrin à la disparition de ce père qui avait été si hostile, si dur envers elle. Son maigre salaire ne revint plus désormais à son père mais servit à payer l'hospice, du moins en partie, car Mme Ponthier augmenta les gages de Lina. Cette hospitalisation lui permit de sortir plus souvent pour aller voir sa mère et donc de rencontrer Étienne plus fréquemment. Ainsi, la fin de cette année fut-elle presque aussi heureuse que le printemps et l'été, et leur espoir en l'avenir en fut-il fortifié.

En réalité, pour Étienne, les seules ombres portées sur sa vie étaient les difficultés du gouvernement qui, devant la pression de ses opposants, renonçait de plus en plus à mettre en œuvre les autres mesures de son programme, et la guerre d'Espagne où les Républicains essuyaient des défaites inquiétantes en Galice, en Navarre et en Estramadure. Au point qu'un soir Gino, en raccompagnant Étienne, s'arrêta brusquement au milieu de la rue et murmura :

— Est-ce qu'il ne faudrait pas y aller ?

— Où ça ?

— En Espagne.

— Qui ?

— Nous, les jeunes.

Étienne ne répondit pas. Il y avait pensé à plusieurs reprises, mais comment abandonner sa mère, Lina, l'imprimerie ? Il n'avait jamais songé sérieusement à franchir le pas.

— Moi je suis seul, avait repris Gino. Je crois que je vais y aller. Se battre là-bas contre Franco et Hitler nous évitera peut-être de nous battre chez nous.

— Je ne peux pas, avait dit Étienne. J'y ai pensé, mais je ne peux pas.

Gino posa son bras sur l'épaule d'Étienne et se remit en marche. Mais, huit jours plus tard, en arrivant à l'imprimerie, Marius et Étienne trouvèrent une lettre à eux destinée, dans laquelle Gino leur annonçait son départ pour Madrid.

— Enfin un qui a compris ! se réjouit Cordocou, mais sans en rajouter devant le silence et le désarroi d'Étienne et de Marius.

Dès lors Étienne vécut avec le remords de n'être pas capable de suivre Gino, remords heureusement compensé par le travail qui devint tout à coup plus intéressant, car il devait faire face aux tâches dont était chargé son ami. Il avait hérité de son composteur, de ses pinces, de son typomètre, et quand il faisait glisser la composition avec des caractères de corps six de la galée sur le marbre, il avait la conviction d'être devenu un véritable ouvrier d'imprimerie. Ce que lui confirma Marius au printemps, en lui donnant un salaire : 400 francs par mois. Il s'empressa de l'apprendre à Lina qui s'en réjouit, mais il en garda mauvaise conscience, comme s'il avait volé le travail et le salaire de Gino. Si bien qu'un soir, alors qu'il la raccompagnait le long des allées Jean-Jaurès, il lui avoua son regret de ne pas avoir suivi son ami. Elle en fut stupéfaite et s'indigna, avec des larmes dans les yeux :

— Tu aurais voulu partir en Espagne faire la guerre et nous laisser, ta mère et moi ? C'est ça que tu es en train de me dire ? Tu veux aller mourir pour des Espagnols, alors que nous ne sommes même pas menacés, nous autres, que tu as un salaire aujourd'hui, et que, un soir, sur le sable de Capbreton, tu m'as promis le mariage ?

Elle ajouta, tandis qu'il demeurait muet :

— C'est pas possible ! Étienne. Non ! C'est pas possible ! Comment as-tu pu songer à une chose pareille ?

Il essaya de s'expliquer, affirma qu'après l'Espagne, Hitler s'en prendrait à la France et à l'Angleterre, c'était inévitable, mais Lina vivait tellement à l'écart de ces réalités qu'elle crut vraiment à une trahison possible de sa part, et elle s'enfuit en le laissant seul sur la chaussée, incapable de faire un pas et de se lancer à sa poursuite. Pour la ramener vers lui, il fallut qu'il l'attende devant l'hospice à plusieurs reprises, car par deux fois elle refusa de lui parler. Enfin, il se résolut à lui promettre d'oublier ce projet, mais il ne retrouva la paix qu'avec le retour de Gino, à la fin du mois de mai : un Gino gravement blessé au bras droit et à la tête, et qui se trouva dans l'incapacité de reprendre le travail. En répondant aux questions de ses amis, il se montra déçu, anéanti par ce qu'il avait découvert là-bas :

— Les Républicains se battent entre eux, révéla-t-il à Étienne.

— Comment ça ?

— Ils sont divisés et se tirent dans le dos.

— C'est pas possible, soupira Étienne, consterné.

— Hélas, si ! Ils ne gagneront pas contre Franco. J'en suis absolument certain.

Devant ces sombres prédictions à peine croyables – et qu'ils ne dévoilèrent pas à Cordocou pour ne pas attiser le feu couvant sous les cendres à l'imprimerie –, ils se tournèrent vers la perspective de regagner Capbreton au mois d'août. L'arrivée des beaux jours et les visites qu'ils rendirent à M. Peyrelongue leur confirmèrent qu'il y aurait bien encore des ajistes pour chanter autour des feux de camp et sur le sable chaud des plages de l'océan.

En juin, pourtant, la nouvelle de la démission de Blum mis en minorité au Sénat les frappa de stupeur. Le gouvernement du Front populaire mourait du manque de confiance de ses alliés, de la fuite des capitaux, du déchirement dû aux événements espagnols. Ulcérés de surcroît par la pause réclamée par le gouvernement alors qu'ils prônaient une accélération de la collectivisation de l'économie, les communistes avaient lâché leur allié, et le fol espoir du mois de mai 36 s'était écroulé.

Les journées qui suivirent cette démission furent houleuses à l'imprimerie où Gino, bien que ne pouvant pas travailler, venait tous les jours. Le terme de trahison fusa, mettant Cordocou hors de lui, lequel conclut l'algarade en lançant son refrain favori :

— Si vous aviez pendu ceux des deux cents familles, on n'en serait pas là aujourd'hui !

Mais très vite une sorte de résignation succéda à la colère et à l'indignation. D'autant que l'été exceptionnellement chaud répandait sur la ville une chaleur qui n'incitait pas au combat, mais plutôt aux vacances dont la proximité faisait rêver. Quand Étienne en parla à Lina, elle se montra préoccupée : l'an passé, elle avait obtenu des congés pour aider ses parents, mais cette année ni son père décédé, ni sa mère entrée à l'hospice n'avaient besoin d'elle.

— Alors, avait demandé Mme Ponthier, que feriez-vous de deux semaines, ma petite ? Vous ne préférez pas nous accompagner à Saint-Jean-de-Luz ?

Lina avait tenté de louvoyer, mais, poussée dans ses retranchements, elle avait fini par avouer qu'elle comptait aller avec un ami dans une auberge de jeunesse à Capbreton.

— Une auberge de jeunesse ? s'était indignée sa patronne. Vous comptez fréquenter ces lieux de dévergondage et revenir ensuite chez moi pour veiller à l'éducation de mes filles ? Vous n'y pensez pas, ma petite !

— Ce sont des endroits où tout le monde tient à être irréprochable.

— Et comment le savez-vous ?

Incapable d'avouer qu'elle avait fréquenté l'auberge de jeunesse de Capbreton l'été précédent alors que sa patronne la croyait à Montalens, Lina bredouilla :

— C'est mon ami qui me l'a dit.

— Qui est donc cet ami ? Que fait-il dans la vie ?

— Il est ouvrier dans une imprimerie.

— Ouvrier ? Dans une imprimerie ! Je m'informerai, soyez-en sûre. Et à cet effet, pouvez-vous me donner son nom, s'il vous plaît ?

Lina n'hésita pas :

— Il s'appelle Étienne Combanel.

— Et quel âge a-t-il ?

— Dix-sept ans, comme moi.

— Vous êtes donc mineurs tous les deux.

— Nous serons sous la responsabilité d'un ami d'Étienne, qui a vingt-trois ans.

— Vingt-trois ans ? Et que fait-il, celui-là, pour accepter de telles responsabilités ?

— Il travaille aussi à l'imprimerie.

Lina avait conscience de s'enliser de plus en plus au fur et à mesure qu'elle consentait à répondre, mais comment faire autrement ?

— En tout cas, moi, je ne vous laisserai pas partir pour l'une de ces auberges où l'on sait très bien ce qui se passe, reprit Mme Ponthier. Il n'en est pas question.

Elle réfléchit un instant, pinça les lèvres et ajouta :

— Si vous passez outre à mes recommandations, vous devrez en tirer toutes les conséquences.

Puis elle conclut en ces termes :

— Réfléchissez, ma petite, mais réfléchissez bien !

Lina informa Étienne de cette conversation dès qu'elle le retrouva à la sortie de l'hospice, et il s'insurgea contre ce qu'il considérait comme des menaces.

— Tu ne vas pas te laisser faire ! s'indigna-t-il. Elle cherche à te faire peur pour ne pas te donner ces congés auxquels tu as droit.

— Si je viens à Capbreton, elle me chassera, souffla Lina. J'en suis certaine.

— Et alors ? Tu ne vas pas rester toute ta vie chez des gens qui t'empêchent de vivre comme tu le veux ?

— Où j'irai, si elle me chasse ? Il n'y a plus de maison à Montalens. Ma mère est à l'hospice.

— Si elle te chasse, tu viendras habiter chez nous, avec ma mère. Moi, j'irai dormir chez Gino.

Ce fut dit sans une hésitation, avec une conviction qui toucha Lina au plus profond d'elle-même. Elle se vit soudain délivrée d'une existence où, souvent, comme le disait Étienne, elle se sentait prisonnière. Mais habiter chez Étienne, être libre enfin, voilà qui lui donnait du courage.

— Je n'aurai plus de travail, dit-elle encore. Qu'est-ce que je ferai à l'avenir ?

— Du travail, tu en trouveras. En attendant, moi j'ai un salaire. Tu ne manqueras de rien.

Elle hésita encore, puis, après une visite à la mère d'Étienne qui lui confirma qu'elle l'accueillerait volontiers, elle se décida à affronter sa patronne au début du mois d'août, huit jours avant le départ prévu pour Capbreton.

— Vous pouvez partir dès ce soir ! lança Mme Ponthier, indignée. Je n'ai plus besoin de vous.

Elle ajouta, comme Lina s'apprêtait à tourner les talons :

— Je me suis renseignée, figurez-vous. L'imprimerie où travaillent vos amis est un repaire d'anarchistes. Laissez-moi vous dire que vous vous préparez des jours difficiles, ma petite. Moi, je vous aurais installée dans le monde, trouvé un mari capable de vous faire vivre agréablement, et au lieu de cela vous avez choisi la misère et la honte.

— La honte de quoi, madame ? trouva la force de demander Lina. Je connais Étienne depuis que nous sommes enfants, et je n'ai jamais eu honte de lui.

— Ça viendra, ma petite, et plus vite que vous ne l'imaginez. Ces gens-là boivent et sont violents. Quand vous l'aurez constaté, n'espérez pas revenir chez moi. Il sera trop tard.

Lina eut un instant d'hésitation qui fit penser à sa patronne qu'elle renonçait.

— Songez à tout ce que j'ai fait pour vous, quand vous avez dû quitter l'école. Souvenez-vous de la manière dont vous avez été accueillie ici. Je vous ai considérée comme ma fille, je vous ai aidée quand votre père est mort, j'ai augmenté vos gages.

Elle s'approcha de Lina, lui prit les mains :

— Croyez-moi, ma petite, si vous quittez cette maison, vous courez droit à la catastrophe. Les gens que vous fréquentez finissent tous mal. C'est la jalousie qui les pousse à combattre ceux qui les nourrissent. Car sans nous, n'en doutez pas, ma petite, ils mourraient de faim.

Lina détacha doucement ses mains et murmura :

— Je vous remercie, madame, pour tout ce que vous avez fait pour moi, mais je m'en vais.

Sans une larme, sans un soupir, elle monta faire sa valise, puis elle partit à pied pour franchir les quatre kilomètres qui séparaient la grande villa des Ponthier de la rue Réclusane.

Huit jours plus tard, elle prenait le train pour Capbreton avec Étienne, avec la sensation d'être libre, désormais, mais surtout d'avoir fait un choix qui engageait toute sa vie. Que se passerait-il après ces quinze jours tant espérés ? Trouverait-elle du travail ? La présence chaleureuse de la mère d'Étienne et les propos apaisants de ce dernier n'avaient pas tout à fait réussi à la rassurer.

Elle oublia tout, cependant, dès qu'elle descendit du train en gare de Labenne, puis en prenant la petite route ombragée entre les pins dont l'odeur demeurait la même et leur restituait l'émotion de l'année passée, quand ils marchaient avec Gino vers Capbreton pour la première fois. Ses soucis disparurent dès qu'elle retrouva Adélaïde, Maria, d'autres encore, mais pas Roxane qui, cette année, ne viendrait pas. Les nouvelles se prénommaient Louise, Yvonne, Solange, et montraient la même gaieté, le même entrain à chanter, discuter, participer à toutes les tâches de la communauté. L'une d'elles, Anna, était juive et venait d'Allemagne. Dès le premier soir, elle expliqua à l'assemblée réunie autour du feu de camp quel sort les nazis réservaient à ses congénères là-bas, de l'autre côté du Rhin. Elle était venue à l'auberge avec Franz, un garçon blond, grand et maigre, qui révéla être chargé de créer un kibboutz en France où transiteraient les Juifs dont le rêve était de partir en Palestine.

— Pourquoi en Palestine ? demanda Adélaïde.

— Parce que c'est chez nous, et que nous espérons bien créer un État, là-bas, le plus vite possible.

— Mais pourquoi un kibboutz en France ?

— Parce que nous sommes en danger en Allemagne et qu'il en a existé un, entre 1933 et 1935, dans le département de la Corrèze, dans un village baptisé Nazareth. À partir de là, après nous être habitués aux manières de vivre de ceux qui sont en Palestine, nous pourrons nous acclimater plus facilement.

Franz parla des pogroms organisés par les nazis, raconta les persécutions, les brimades, les expulsions, et les ajistes comprirent vraiment que régnait à proximité de la France un système de terreur qui était capable des pires abominations.

— Mais comment la population peut-elle accepter cela ? s'indigna Serge, l'ouvrier bordelais qui était revenu, lui aussi.

— Elle a peur. Et vous n'imaginez pas à quel point ! La police est partout, il faut la carte du parti nazi pour accéder aux emplois publics ou aux aides de l'État. La crise économique a créé des milliers de chômeurs, les gens ont faim. Ils sont prêts à renoncer à tout, même à leur liberté. C'est pour ça qu'Hitler est arrivé au pouvoir. Il ne l'a pas pris, le pouvoir, il a été élu, tout simplement. Et aujourd'hui les nazis tiennent les rênes partout, ils terrorisent la population et les Juifs en particulier.

— Mais pourquoi les Juifs ? s'exclama Lina, offusquée par ce qu'elle entendait.

— Parce qu'ils les accusent d'être à l'origine de la crise économique, de s'enrichir sur le dos du peuple, alors que pour eux ce ne sont que des « *Untermenschen* » – des sous-hommes. En fait, ils leur servent de boucs émissaires. Ce sont des coupables désignés d'avance et exposés à la vindicte d'un peuple aveuglé par la propagande et la peur.

Un long silence succéda à ces paroles inquiétantes. Étienne se persuada ce soir-là qu'une menace bien plus redoutable qu'il ne l'avait imaginé s'installait un peu partout, et qu'un jour, sans doute, il faudrait l'affronter. Mais il n'en parla pas à Lina. Au contraire : il s'efforça de profiter près d'elle du soleil et de l'océan, tout ce qui était étranger au monde qu'ils avaient quitté pour quelques jours seulement. À l'auberge, ils se sentaient protégés, dans un cocon, d'autant qu'Anna et Franz étaient partis à la recherche d'une commune d'accueil pour leur projet de kibboutz, et que les conversations abordaient des sujets moins préoccupants.

Il fit très beau et ils se baignèrent tous les jours sur la grande plage qu'ils aimaient tant. Les nuits, de nouveau, furent magiques : le sable, encore chaud de la morsure du soleil, était doux à leur peau, et ils s'isolaient facilement pour ne plus penser qu'à eux, si bien qu'un soir, à l'abri d'une petite dune, alors qu'ils n'étaient que peu vêtus – elle de son maillot de bain, lui de son short –, il leur arriva ce qui devait arriver depuis longtemps, et que Lina avait toujours repoussé. Mais cette nuit-là, précisément, Étienne avait inventé les caresses nécessaires pour qu'elle ne lui refuse rien. Ce fut elle qui fit glisser son maillot de bain, et quand il vint sur elle, rien ne l'étonna : elle savait depuis toujours que cela se passerait de cette manière et elle en avait rêvé bien souvent depuis le jour où, encore enfants, ils s'étaient perdus sur la rive droite de la Garonne et avaient passé la nuit dans les bras l'un de l'autre. Passé une brève douleur, elle avait serré son corps à l'étouffer, murmuré les mots que lui soufflait sa jeunesse émerveillée :

— Étienne ! Mon Étienne !

Il lui sembla alors qu'elle avait touché au port, qu'elle savait tout de la vie, qu'il serait toujours là, que rien ni personne ne pourrait les empêcher de prolonger indéfiniment ces moments.

— On va se marier, dit-il en revenant, encore ébloui de ce qui s'était passé.

— L'an prochain, fit-elle. On aura dix-huit ans.

Ils retournèrent graves et silencieux vers les ajistes qui chantaient et plaisantaient, mais qui étaient habitués à leurs disparitions.

Un qui ne l'était pas, c'était M. Peyrelongue qui s'était rendu compte de leur comportement et qui les convoqua un matin, peu avant le repas de midi. Il leur parut tout de suite plus contrarié qu'en colère, mais la fermeté de ses propos les blessa :

— Je pensais avoir été clair, leur dit-il, en vous expliquant que nos auberges étaient suspectées des pires maux et que nous devions nous montrer irréprochables.

Et, comme ni Étienne ni Lina n'osaient répondre :

— Or, vous vous isolez souvent tous les deux. Et ce n'est pas dans nos conventions.

Ils étaient surtout étonnés qu'il soit au courant, mais comment eût-il pu en être autrement ?

— Il faut changer d'attitude, mes enfants, reprit M. Peyrelongue, sans animosité. Je serais désolé de vous voir partir avant le terme prévu de votre séjour.

Il soupira, ajouta :

— Nous vous aimons tous beaucoup, ici. Faites en sorte de pouvoir rester parmi nous.

Et, comme Étienne et Lina restaient muets :

— S'il vous plaît, mes enfants, comprenez-moi : l'auberge est un lieu de rencontres pour tous. Il faut qu'elle le demeure et c'est seulement à cette condition qu'elle survivra.

Lina et Étienne, confus, finirent par s'excuser et promirent de se comporter comme il le leur demandait. Mais ils gardèrent de cette entrevue une sensation de culpabilité et Gino dut les rassurer : ce n'était pas la première fois que M. Peyrelongue intervenait de la sorte. Lui-même, à deux reprises, avait essuyé des reproches, qui étaient évidemment justifiés. Mais dès lors ils se fondirent davantage dans la communauté et trouvèrent un écho chaleureux, sans la moindre rancune, de la part de tous ceux qui s'étaient désolés de les voir vivre un peu trop à l'écart.

Le violon d'Adélaïde recommença à embellir les soirées, de nouveaux liens se nouèrent avec les ajistes, et ils profitèrent au mieux des jours qui leur restaient avant le départ. Un soir, sollicité par la petite assemblée, Gino raconta comment il avait survécu durant les bombardements de Madrid, la panique qui saisissait les civils à la Puerta Del Sol, chaque fois que les Messerschmitt surgissaient ; leur colère, leur haine envers les nationalistes et les Allemands, leur désespoir à l'idée que ni l'Angleterre ni la France ne leur portaient secours. Il expliqua comment il avait été blessé dans l'écroulement d'une maison dans laquelle il s'était réfugié, et déplora de n'avoir même pas pu porter les armes qu'on lui avait confiées. Mais il n'évoqua pas les trahisons au sein du camp républicain dont il avait parlé à Étienne. Son récit se suffisait à lui-même : tous avaient compris que la République espagnole allait mourir.

Étienne et Lina s'efforcèrent de vivre le plus

intensément possible, de ralentir les heures, car ils pensaient parfois à ce qui les attendait à leur retour. Ils s'enivrèrent d'eau, de soleil, de chaleur, de lumière, goûtèrent chaque seconde, chaque minute de leur éblouissante liberté, mais il y eut un dernier jour, puis un dernier soir sur la plage, et, comme l'année précédente, des adieux déchirants :

« Ce n'est qu'un au revoir, mes frères,
Ce n'est qu'un au revoir… »

Lorsqu'ils se mirent en route, le lendemain matin en direction de Labenne, Lina s'arrêta brusquement et dit à Étienne :

— Ce n'était pas un au revoir, c'était un adieu.

Il revint sur ses pas, la prit dans ses bras, demanda :

— Pourquoi dis-tu ça ? On reviendra l'an prochain, tu le sais bien.

— Non, répondit-elle. Non ! On ne reviendra pas. Je le sens.

— Mais bien sûr que si ! s'indigna-t-il. Qu'est-ce qui pourrait nous en empêcher ?

Puis il pensa à une guerre possible, chassa aussitôt cette pensée de son esprit, la prit par la main, et ajouta dans un rire forcé :

— L'an prochain le 15 août, je te promets que nous marcherons sur cette route, mais dans la direction opposée. Comme ça, regarde !

Et il fit demi-tour, lui arrachant un sourire.

Elle consentit alors à repartir vers la gare, mais ni l'un ni l'autre ne prononça le moindre mot durant tout le trajet, car trop de pensées confuses encombraient leur tête attristée par ce qui les attendait.

Leur retour à Toulouse coïncida avec la pluie. Une pluie fine et tiède qui lustrait les feuilles des platanes, rendait l'air de la ville plus respirable, mais annonçait déjà la fin de l'été. Lina prit rapidement ses habitudes dans l'appartement de la rue Réclusane, d'autant qu'elle se retrouvait seule la journée, la mère d'Étienne partant au travail à la Compagnie chaque matin ; Étienne, de son côté, regagnant l'imprimerie. Cette solitude n'était pas désagréable à Lina, au contraire : elle se sentait à l'abri dans ce logement où la mère d'Étienne l'avait accueillie comme si elle était sa fille.

— La fille que je n'ai jamais eue et que j'aurais tant voulu avoir, avait-elle précisé le premier jour en embrassant Lina.

Cette femme d'origine paysanne avait le cœur sur la main et ne savait que faire pour mettre à l'aise Lina qui s'inquiétait surtout de trouver du travail. Sollicité par Étienne, l'oncle avait essayé d'obtenir quelque chose à la Compagnie de chemin de fer, mais il n'y était pas parvenu. Lina s'impatientait, se désolait d'être ainsi à la charge d'Étienne et de sa mère, qui, avec deux salaires, n'étaient pourtant pas pressés de la voir travailler. Chaque soir Étienne rejoignait le logement de Gino pour y dormir et laissait seules les deux femmes qui discutaient longtemps avant d'aller se coucher. Mais très vite, fin septembre, une chambre de bonne se libéra au dernier étage de l'immeuble, qu'Étienne loua. Et il n'eut plus à repartir chaque soir vers le domicile de Gino qui habitait loin, dans le quartier des Minimes.

Ce fut avec les premiers frimas d'octobre que Lina s'aperçut qu'elle avait oublié son manteau chez ses anciens patrons. Sans l'avouer à Étienne elle partit à pied, le lendemain, pour la colline de Ramonville où elle arriva frigorifiée par la pluie froide qui n'avait cessé de tomber. Elle fit tout ce qui était en son pouvoir pour éviter Mme Ponthier et pénétra dans l'aile gauche de l'immense demeure où travaillait Maria, dans l'espoir que celle-ci pourrait mettre la main sur son vêtement, mais la maîtresse des lieux l'avait mis de côté volontairement, persuadée que Lina reviendrait un jour le reprendre. Aussi Lina ne put-elle éviter la confrontation qu'elle redoutait, dans le grand salon qu'elle avait fréquenté si souvent.

Mme Ponthier l'attendait debout devant une crédence en bois de rose où Lina aperçut un sac qui devait contenir son manteau. Son ancienne patronne était vêtue d'une élégante robe claire à losanges et du collier de perles qu'avait si souvent admiré Lina.

— Alors, ma petite, s'exclama-t-elle, vous venez vérifier à quel point vous avez eu tort ?

— Non, madame, bredouilla Lina, je viens chercher un manteau que j'ai oublié en partant.

Mme Ponthier la considéra avec une telle commisération que Lina fit un pas en avant, bien décidée à s'emparer du sac.

— Imaginez-vous, ma petite, que mes filles vous regrettent. C'est étonnant, non ?

Redoutant un piège, Lina répondit :

— Je les aimais beaucoup.

— Et c'est pour ça que vous êtes partie ?

La voix avait claqué, d'une extrême dureté.

— Non, madame, je suis partie parce que vous m'avez chassée.

— Non, ma petite, je vous ai laissé le choix ! Mais vous avez fait le mauvais.

— S'il vous plaît, madame, donnez-moi mon manteau, et je m'en irai, souffla Lina en faisant un nouveau pas en avant.

— Dites-moi d'abord ce que vous faites aujourd'hui. Cela m'intéresse, figurez-vous.

Lina soupira, puis elle murmura :

— Je vis dans le logement de la mère de mon fiancé et…

Elle buta sur les mots, ajouta en baissant les yeux :

— … je cherche du travail.

— Vous cherchez du travail ? Voyez-vous ça ! Et vous pensez que vous allez en trouver dans l'état où sont les affaires depuis que Blum et ses acolytes sont passés par là ?

— S'il vous plaît, madame, donnez-moi mes affaires et laissez-moi partir.

Il y eut un long silence, durant lequel le regard métallique de Mme Ponthier ne la quitta pas.

— Et si je vous proposais de revenir ? Qu'en diriez-vous ? Vous avez eu le temps de réfléchir et de constater quelle existence vous attend. Je suppose que vous avez mesuré la différence entre la vie que vous meniez ici et celle qui est la vôtre aujourd'hui.

Et, comme Lina, désemparée, demeurait murée dans le silence :

— Alors ? Je vous écoute !

— Je ne peux pas, madame.

— Vous pouvez faire fi de votre fierté, ma petite. Je viens bien de négliger la mienne, moi.

— Je ne peux pas, madame, répéta Lina.

— Et pourquoi, s'il vous plaît ?

— Parce que nous allons nous marier l'an prochain, Étienne et moi.

— Ma pauvre petite ! Un ouvrier d'imprimerie ! Et de surcroît une imprimerie qui est constamment menacée de faillite ! Que ferez-vous quand elle aura fermé, cette imprimerie, si vous n'avez pas de travail ?

Lina ne répondit pas.

— Comment nourrirez-vous les enfants que vous aurez ? Parce qu'il faut vous dire que dans ce milieu ils ne s'embarrassent pas de sentiments ! Surtout lorsqu'ils sont au chômage, passent leurs journées dans des estaminets et rentrent saouls le soir.

— Étienne ne boit pas, madame.

— Pour le moment, ma fille, pour le moment !

Un nouveau silence régna dans la pièce, sans que le regard de Mme Ponthier ne se détourne un seul instant.

— J'ai voulu vous tester, ma petite, poursuivit-elle, mais de toute façon je ne vous aurais pas reprise : je n'ai pas l'habitude de revenir en arrière. J'ai toujours assumé mes décisions et ce n'est pas aujourd'hui que je vais y renoncer.

Elle hésita un peu, ajouta :

— Mais je pense que vous méritez mieux que ce qui vous attend. Et je veux vous montrer que les gens que vous et les vôtres détestez tellement sont, eux, capables de reconnaître les mérites des gens de votre sorte. Il ne sera pas dit que je vous aurai jetée à la rue.

Elle soupira, reprit :

— Contrairement à ce que vous pensez, nous pratiquons aussi la bienveillance et la charité – du moins à l'égard de ceux qui le méritent. Et je pense que c'est votre cas.

Elle sourit, son regard devint tout à coup moins

dur vis-à-vis de Lina qui redouta de tomber dans un piège.

— Je vais vous en trouver, du travail, moi. Mais j'espère que lorsque vous l'aurez obtenu, vous saurez vous en souvenir.

Lina n'osait croire à ce qu'elle entendait. Elle avait peur et en même temps un fol espoir était né en elle, la faisant respirer plus vite, sans toutefois déjà se réjouir.

— Donnez-moi votre adresse, et vous serez convoquée un jour prochain pour un emploi.

Lina hésita, se demandant de quel prix elle allait devoir payer cette faveur. Puis elle pensa au logement trop petit, à la chambre d'Étienne sous les toits, à son manque de salaire qui la rendait dépendante, et elle murmura :

— 24, rue Réclusane.

— Bien ! dit Mme Ponthier.

Un long silence succéda à ces mots, que Lina jugea tout aussi menaçants que les précédents. Elle eut l'impression que son ancienne patronne attendait quelque chose, mais les mots eurent du mal à franchir ses lèvres.

— Merci, madame ! dit-elle enfin.

Mme Ponthier se retourna, prit le sac de toile où se trouvait le manteau, le tendit à Lina et dit :

— Au revoir, ma petite. Je vous souhaite bien du courage.

— Au revoir, madame ! dit Lina en prenant le

sac avec la sensation de recevoir quelque chose qui ne lui appartenait pas.

Leurs regards se croisèrent. Lina crut déceler dans les yeux de sa patronne une pitié qui lui embrasa le front. Elle fit brusquement demi-tour et se précipita vers le grand portail de la propriété, puis se mit à marcher très vite, comme si un ennemi invisible était lancé à ses trousses.

Une fois rue Réclusane, elle passa la journée à se demander si Mme Ponthier ne s'était pas moquée d'elle, et elle ne parla de cette entrevue ni à Étienne ni à sa mère. Elle pensait avoir été trompée, humiliée volontairement, en une sorte de revanche mûrement réfléchie. Aussi, malgré son faible espoir, fut-elle surprise quand elle reçut une lettre de la direction du Monoprix de Toulouse, la semaine suivante, qui lui donnait un rendez-vous pour un entretien d'embauche. De cette lettre non plus elle ne parla ni à Étienne ni à sa mère, et ils n'en surent rien puisqu'ils n'étaient pas présents la journée, quand passait le facteur.

Elle se rendit au rendez-vous le jeudi suivant à l'heure fixée, fut reçue par une femme au chignon gris, qui avait la soixantaine, et qui, dans sa robe rouge à taille basse et pans plongeants à l'arrière, lui sembla d'une élégance extraordinaire.

— Savez-vous, mon enfant, quel est le créateur de la robe que je porte ? demanda cette femme qui arborait aussi un collier de perles et un bracelet à mi-bras.

Lina paniqua, fit un signe négatif de la tête.

— C'est une Jean Patou. Cela vous dit-il quelque chose ?

Et, comme Lina demeurait muette :

— Non. Bien sûr.

L'élégante eut un sourire indulgent, s'approcha de Lina, la détailla un long moment de la tête aux pieds, caressa de ses doigts fins les plis de la robe offerte l'été précédent à Lina par Mme Ponthier, et murmura, comme pour elle-même :

— Après tout, elle a peut-être raison.

Puis, de nouveau souriante :

— Vous débutez lundi au rayon vêtements femme, au salaire de 480 francs par mois. Est-ce que cela vous convient ?

— Oui, madame, bredouilla Lina, mais je ne sais pas si je saurai…

— Ah ! Ne parlez pas comme ça, s'il vous plaît ! Dans notre métier il faut montrer de l'assurance devant les clientes. Souvenez-vous-en !

— Oui, madame.

Et, comme Lina n'osait esquisser un geste, ne sachant si l'entretien était terminé :

— Eh bien, à lundi, ma petite !

— Oui, madame, fit Lina. Merci beaucoup, madame.

— Ce n'est pas moi qu'il faudra remercier.

Vous savez très bien à qui vous devez cet emploi et il s'agira de vous en montrer digne.

Lina hocha la tête, puis elle sortit du bureau avec la sensation que sa tête tournait. Dehors, seulement, elle put reprendre ses esprits, et elle se mit à courir vers l'imprimerie pour annoncer sans attendre le soir la nouvelle à Étienne.

13

Le printemps de cette année 1938 était lourd des menaces que les grèves, la situation économique catastrophique et l'annexion de l'Autriche par l'Allemagne – sans que ni l'Angleterre ni la France n'aient réagi – rendaient chaque jour plus inquiétantes. Dans l'imprimerie de Marius, le rappel de Blum par le président Lebrun avait ranimé l'espoir de l'été 36, mais son gouvernement n'avait duré que vingt-huit jours : il avait reçu la confiance de l'Assemblée, mais pas celle du Sénat.

— Bon débarras ! avait triomphé Cordocou.

— Oui, on sait ! avait répliqué Gino revenu au travail depuis le décès du vieux Tonin l'hiver précédent : Tu préfères les radicaux. Eh bien, sois rassuré ! Après Chautemps, tu auras Daladier, et avec lui une partie de la droite trop contente d'être débarrassée du Front. Adieu les congés payés et la semaine de quarante heures !

— Et bientôt tu auras la guerre ! renchérissait Marius, pacifique convaincu et persuadé que depuis la nomination du gouvernement Chautemps, les radicaux avaient accéléré le réarmement.

Étienne, qui avait décidé de se marier avec Lina en août, s'inquiétait davantage des dangers de la guerre que des problèmes de politique intérieure. Après l'annexion de l'Autriche, en effet, Hitler revendiquait maintenant les Sudètes, ces trois millions d'Allemands installés en Bohême, territoire de la Tchécoslovaquie depuis 1919.

— N'aie pas peur, lui disait Gino. T'as pas l'âge de te battre, toi.

Mais comment croire qu'un conflit en Europe durerait peu de temps ? Étienne s'imaginait devoir laisser seule Lina pour peut-être aller se faire tuer dans un combat qui n'était pas le sien.

— T'en fais pas ! lançait Cordocou. Il existe un traité d'alliance entre Staline et la Tchécoslovaquie depuis 1935. Il ne se frottera pas à l'URSS, le moustachu.

Les tensions s'apaisèrent au début de juin, la France et l'Angleterre ayant finalement décidé de négocier, dans un début d'abandon pitoyable de leur allié tchécoslovaque. Étienne put alors retrouver un peu de confiance en l'avenir et préparer avec Lina ce mariage qui avait été fixé au 14 août. Comme elle travaillait elle aussi et touchait désormais un salaire, ils avaient loué un petit appartement dans la rue des Teinturiers voisine de la rue Réclusane et commençaient à le meubler avec l'aide de la mère d'Étienne. Celui-ci avait abandonné sa chambre pour s'installer un peu en avance dans le logement qui allait devenir leur foyer et où, parfois, le dimanche, Lina le rejoignait. Elle y était heureuse, mais attendait avec impatience le mois d'août en rêvant au moment où elle pourrait passer des nuits entières dans ses bras.

Son travail lui plaisait et lui valait l'estime de sa patronne : cette femme élégante qui l'avait embauchée et qui, en fait, avec son mari, était la propriétaire du Monoprix. Depuis son bureau du dernier étage, elle descendait souvent voir Lina et celle qui faisait office de chef de rayon : une femme d'une trentaine d'années, prénommée Isabelle, avec laquelle Lina avait noué des liens d'amitié. Elle avait d'ailleurs accepté d'être son témoin de mariage et elle la conseillait volontiers au sujet de la robe que Lina envisageait d'acheter. Celle-ci pensait de temps en temps à l'EPS qu'elle avait dû quitter, à la maîtresse d'école qu'elle aurait pu devenir, mais elle se consolait en songeant qu'elle vivait avec Étienne, dans la grande ville de ses rêves : n'était-ce pas ce qu'elle souhaitait depuis toujours ?

Elle aurait été tout à fait heureuse si ces rumeurs alarmantes qui se répandaient jusque dans le Monoprix ne l'avaient inquiétée :

— Tu crois qu'on va avoir la guerre ? demandait-elle à Étienne.

Il la rassurait en affirmant que ni la jeunesse ni les ouvriers allemands n'obéiraient aux ordres d'Hitler, et que lui, Étienne, de toute façon, n'avait pas l'âge de porter les armes.

— Mais si ça dure longtemps ? insistait-elle.

— Ça ne peut pas durer longtemps, répondait-il. Les armes sont trop puissantes aujourd'hui.

En revanche, il ne lui avait pas confié que les affaires de Marius allaient mal, et que, le mois dernier, il n'avait touché qu'un demi-salaire. Les commandes d'affiches et de tracts d'ordinaire passées par les syndicats avaient beaucoup diminué depuis que le Front populaire s'était écroulé, le fol espoir né du mois de mai 36 ayant abandonné les ouvriers. Marius s'en désolait, cherchait de nouvelles commandes, mais il était tellement marqué à gauche que les entreprises répugnaient à lui donner du travail.

— Pas de panique ! disait-il. J'ai déjà touché le fond trois ou quatre fois et je suis encore là !

Même la CGT, qu'Étienne avait sollicitée par l'intermédiaire de l'oncle Henri, n'avait pu passer le moindre marché, et ce qui devait arriver arriva à la fin du mois de juin : une journée sur deux serait désormais chômée.

— Voilà où nous a menés la politique des socialistes ! s'insurgea Cordocou. Toujours à faire les choses à moitié ! Toujours à pactiser avec la droite ! Aucune nationalisation ! Des cadeaux aux deux cents familles ! Et la situation est pire qu'avant 36 !

Heureusement, une grosse commande de la SNCF fut passée pour ses tarifs d'été, de même que la composition et l'impression d'un livre écrit par un original fortuné, ami de Marius, ce qui mit fin à l'inquiétude et aux tensions, au moins pour quelques mois.

Puis vint l'été, avec de longues et merveilleuses soirées de juin, au cours desquelles Étienne et Lina allaient se promener sur les quais de la Garonne, en se remémorant les rives de Montalens, non sans une pointe de nostalgie, même pour elle, qui, pourtant, avait tellement voulu les fuir. Le chemin parcouru les étonnait et leur faisait mesurer à quel point ils avaient grandi et changé, mais aussi à quel point ils avaient perdu l'insouciance de ces années-là. Les dangers qui les guettaient n'étaient-ils pas liés à leur nouvelle vie, dans cette ville qui leur apparaissait parfois, aujourd'hui, trop grande pour eux ? Lina se défendait de cette idée qui remettait en cause ses rêves les plus chers, mais Étienne, lui, s'en était persuadé peu à peu.

— On ira passer une semaine à Capbreton après notre mariage, déclara-t-il un soir où l'avenir leur paraissait encore plus redoutable que d'habitude.

— Je ne sais pas si j'aurai des congés, dit Lina.

— Deux ou trois jours, seulement. On aura l'impression que tout continue, que l'été 36 n'a pas été sans lendemain.

— Oui, dit-elle, tu as raison, il faut essayer.

Et ce soir-là, avant de rentrer rue Réclusane, elle s'attarda un long moment dans les bras d'Étienne, rue des Teinturiers.

Le grand jour arriva enfin, et les invités se retrouvèrent place du Capitole à dix heures du matin, dans la lumière chaude de ce bel été. Lina portait une jupe plissée couleur crème, un tailleur en jersey taille basse, et un chapeau cloche de la même couleur qui emprisonnait ses cheveux rassemblés en chignon ; Étienne une chemise blanche ornée d'une lavallière et un pantalon d'un noir luisant qui lui donnait une allure espagnole. Il y avait là également la mère d'Étienne, mais pas celle de Lina qui perdait de plus en plus la tête et dont on avait dû tenir la main pour signer l'autorisation de mariage ; Isabelle, la collègue de Lina, très élégante dans une robe verte à pois blancs, Gino dans un costume bleu nuit, Marius dans une chemise rouge sur laquelle se répandaient ses longs cheveux blancs, et même Cordocou, le vieux communiste, avait revêtu ses plus beaux habits : c'est-à-dire un bleu de travail propre et une chemise rouge achetée la veille pour l'occasion.

Se trouvaient là également l'oncle Henri et sa femme, l'époux d'Isabelle qui se prénommait Louis, enfin Paolo, un ami de Gino qui jouait de l'accordéon et chantait dans les fêtes.

Étienne et Lina, impressionnés, très émus, échangèrent leur serment devant un adjoint au maire solennel, dans la grande salle des mariages aux murs ornés de tableaux anciens, puis ils furent félicités, embrassés par les invités avant de redescendre sur la grande place où ils furent acclamés par des passants inconnus :

— Vive les mariés ! Vive les mariés !

Ils paraissaient tellement jeunes, tous les deux, avec leurs dix-huit ans à peine révolus, qu'on avait envie de les protéger : c'est du moins ce que pensaient Gino et Marius en les observant, immobiles devant le photographe qui allait rendre cette journée mémorable, mais en même temps ils se disaient que ce jeune couple était magnifique et le demeurerait longtemps, pourvu qu'aucun événement extérieur ne vienne les séparer.

La mère d'Étienne et Lina elle-même avaient tenu à ce que les futurs mariés passent par l'église, où n'entrèrent pas les hommes, tous des mécréants farouches, à part Gino qui était le témoin d'Étienne. Et quand tout fut fini, qu'Étienne et Lina furent unis devant Dieu et les hommes, ils partirent à pied vers la place Saint-Cyprien voisine de la rue Réclusane où devait se prendre le repas dans un petit restaurant bien connu d'Étienne et de Gino. Les gens qu'ils croisaient les applaudissaient, les mêmes acclamations que sur la place du Capitole retentissaient, comme si tous les Toulousains désiraient s'associer à cette fête, afin d'oublier les angoisses d'une époque où rôdaient tant de menaces.

Avant le repas, toutefois, les mariés passèrent à l'hospice voir la mère de Lina, mais ils ne s'y attardèrent pas, car ils ne furent pas certains qu'elle les reconnaissait. Lina en fut un moment malheureuse, puis elle l'oublia quand elle réalisa enfin, devant la joie des invités et leurs regards empreints d'une chaleureuse amitié, qu'elle était bien mariée à Étienne, que la petite fille qui courait près de lui sur la route de Montalens pour aller à l'école avait bien gagné la partie, remporté au moins ce combat-là : celui qui lui tenait le plus à cœur.

Elle mangea et but plus que de coutume, tout comme Étienne d'ailleurs, qui, lui, évitant de songer aux longues années qui les avaient conduits jusqu'à ce jour heureux, pensait au moment où ils se retrouveraient seuls dans le logement de la rue des Teinturiers, unis pour toujours, du moins l'espérait-il en s'efforçant d'oublier tout ce qui pouvait les menacer. Hors-d'œuvre variés, œufs mimosa, rôti de veau, chou farci, fromages divers, tartes à la crème, le tout arrosé de multiples bouteilles de vin de Fronton réjouirent les invités jusqu'à quatre heures de l'après-midi, après quoi la table fut repoussée contre un mur et Paolo s'empara de son accordéon pour les faire danser.

Lina dut danser avec tout le monde, y compris Marius qui virevoltait comme le jeune homme qu'il n'était plus depuis longtemps, et qui, un peu plus tard, accompagné par Paolo, entonna :

« Quand nous chanterons le temps des cerises
Et gai rossignol et merle moqueur
Seront tous en fê-ê-te... »

Tous, à la fin, chantaient avec lui quand il s'étrangla d'émotion sur les dernières paroles :

« C'est de ce temps-là que je garde au cœur
Une plaie ouverte... »

Aussitôt, Paolo enchaîna :

« Quand tu seras dans la purée
Reviens vers moi
Je te ferai des côtes panées
Comme celles d'un roi... »

Et la joie retomba sur les invités qui s'esclaffèrent tout le temps que dura la pantomime de Paolo déchaîné par les rires. Puis les danses recommencèrent jusqu'au repas du soir, car il avait été convenu avec les patrons du restaurant que les invités mangeraient les restes de midi. Et il y en eut suffisamment pour rassasier tout le monde, de même que le vin de Fronton.

À la fin tous chantèrent « Auprès de ma blonde », « À la claire fontaine », « La Petite

Tonkinoise», «Marinella», et l'on dansa de nouveau jusqu'à une heure du matin.

Alors, seulement, Étienne et Lina purent fausser compagnie à leurs invités pour rejoindre la rue des Teinturiers, épuisés mais éblouis par cette journée que rien n'était venu troubler. En passant cette première nuit dans le logement qui allait abriter leur bonheur, ils eurent l'impression que ces murs les protégeraient éternellement, et ils s'endormirent étroitement enlacés vers quatre heures du matin, avec la bienheureuse sensation d'être enfin arrivés au bout de la route qu'ils suivaient depuis très longtemps.

Ils avaient renoncé à se rendre à Capbreton une troisième fois, car ils souhaitaient profiter de leur nouvelle intimité pendant les trois jours de congés qu'avait réussi à obtenir Lina, et, de fait, ces trois jours leur offrirent tout ce qu'ils en espéraient. Jamais ils ne s'étaient sentis si proches, si unis, si complices, seuls au monde et pour toujours, leur semblait-il, comme dans l'île heureuse de leur enfance. La reprise du travail fut donc difficile, non seulement parce qu'ils étaient de nouveau séparés la journée, mais surtout parce que les bruits de guerre du printemps revinrent rôder sur la ville, encore plus inquiétants. Hitler menaçait de plus en plus d'envahir la Tchécoslovaquie si elle ne lui cédait pas les Sudètes, et l'Angleterre et la France, censées devoir voler à son secours à cause d'un traité d'alliance, tentaient toujours de négocier. Durant tout le mois de septembre, la population française fut suspendue aux nouvelles venues de Londres, de Prague, et de Paris.

À l'imprimerie, Cordocou prétendait toujours que le « Fridolin » reculerait, tandis que Gino et Étienne étaient plus pessimistes.

— On était si bien, disait Lina, le soir, quand Étienne rentrait. Qu'est-ce qu'on va devenir s'il y a la guerre ?

Étienne s'efforçait de la rassurer de son mieux, mais la dernière semaine de septembre fut celle de tous les dangers, à partir du moment où Londres mit en alerte ses forces navales, tandis que Paris rappelait 400 000 réservistes. Lina découvrit les affiches de cette mobilisation place du Capitole et rentra, ce soir-là, en pleurs, persuadée que tout était perdu.

— Je n'ai pas l'âge, lui dit Étienne, je ne partirai pas. Et d'ailleurs il ne s'agit que de réservistes. Gino ne s'inquiète pas.

C'était faux : Gino, au contraire, était sûr que la guerre était proche, qu'on n'y échapperait pas.

— Regarde ! disait Lina en montrant l'appartement qu'ils avaient meublé avec amour. On était si bien !

— Ne t'inquiète pas ! Tout va s'arranger, comme au printemps ! Personne n'a intérêt à faire la guerre.

Elle trembla jusqu'à la fin de la semaine, puis on apprit qu'à l'issue de la conférence de Munich la paix avait été préservée, Daladier et Chamberlain ayant signé un accord qui sanctionnait l'abandon d'un allié. Hitler avait gagné sur toute la ligne, l'entrée des troupes allemandes en territoire sudète ayant seulement été repoussée au 10 octobre, les Tchèques gardant la possibilité de négocier leurs biens.

Ce fut le soulagement général dans le pays et à Paris où Daladier, une fois de retour, fut fêté comme un héros alors qu'il s'attendait à être conspué.

— Traître ! Scélérat ! vitupéra Cordocou à l'imprimerie. Jusqu'à quand vont-ils se coucher devant ce cinglé ? Ils lui cèdent tout, et bientôt c'est sur nous qu'il va tomber !

Étienne et Gino n'étaient pas loin de partager cette opinion, d'autant que Blum venait de déclarer : « La guerre est probablement écartée, mais dans des conditions telles que je n'en puis éprouver de joie, et que je me sens partagé entre un lâche soulagement et la honte. » Étienne éprouvait aussi ce « lâche soulagement », mais il faisait mine de se réjouir devant Lina qui, enfin, reprenait espoir et regagnait chaque soir ce qu'elle appelait son « nid » où la rejoignait Étienne sans jamais s'attarder au-dehors.

C'était un deux pièces-cuisine qu'ils avaient aménagé avec soin, du moins avec les petits moyens que leur octroyaient leurs salaires. Les W-C se trouvaient sur le palier, mais il y avait un lavabo dans un angle de la chambre, où ils pouvaient faire leur toilette. Ils avaient retapissé les murs d'un papier vert, et prenaient leurs repas sur la table de la cuisine recouverte d'une toile cirée de la même couleur, tandis qu'un buffet ancien à deux corps, séparés par des tiroirs, permettait de ranger la vaisselle et les divers objets de couture ou de bricolage. Dans la chambre, une armoire à deux portes faisait face à un grand lit à dosseret, sur lequel trônait un édredon de plumes rouge donné par la mère d'Étienne.

— Où serions-nous mieux qu'ici ? s'exclamait Lina.

— Nulle part ! répondait Étienne en la prenant dans ses bras.

Le seul souci de Lina, maintenant que les bruits de guerre s'étaient éloignés, c'était sa mère dont la santé déclinait de jour en jour. De fait, elle mourut le 30 octobre, s'éteignant comme une bougie trop usée, et elle fut enterrée au cimetière de Terre-Cabade, dans la rue des Arcs-Saint-Cyprien, pas très loin de la rue des Teinturiers. Lina en conçut plus de chagrin que lors de la disparition de son père, mais en même temps elle eut la conviction que s'éteignaient avec elle tous les témoins de sa vie d'avant, celle qu'elle avait toujours voulu fuir, et ce fut comme une délivrance dont elle souffrit en silence. Puis elle se retourna vers sa vie présente, bien décidée à profiter des heures, des jours et des nuits qui lui étaient accordés près d'Étienne.

Le vent d'autan fit place au vent du nord au début du mois de décembre, et l'hiver apporta ses premiers frimas qu'Étienne et Lina combattirent avec la cuisinière à charbon qui se trouvait dans la cuisine, mais qui suffisait à chauffer tout le logement, pour peu qu'ils laissent la porte de leur chambre ouverte. C'est alors qu'un matin, arrivé le premier à l'imprimerie contrairement à son habitude, Marius réunit ses trois employés et leur dit d'un air accablé :

— Les enfants, ça ne peut plus continuer. Je ne peux pas tous vous garder.

Il ajouta, devant le silence qui venait de tomber :

— Il faut qu'il y en ait deux qui s'en aillent, sinon je devrai fermer la boutique.

Que répondre à cet appel désespéré de celui qui s'était maintenu à flot contre vents et marées, mais qui, aujourd'hui, était obligé de rendre les armes ? Étienne ne parla pas de cette catastrophe à Lina, mais elle comprit qu'il se passait quelque chose de grave à son air préoccupé, chaque soir, à son retour rue des Teinturiers. C'était à peine s'il lui répondait, il semblait ailleurs, cherchait vainement des solutions à un problème qui le dépassait. Il en discutait seulement avec Gino qui allait lui aussi se marier et avait besoin de travailler. Cordocou, lui, se perdait dans des imprécations qui tournaient rapidement aux insultes à l'égard du pauvre Marius accusé d'être un incapable.

Ne sachant plus que faire, Étienne finit par rendre visite à l'oncle Henri et lui apprit qu'il allait probablement être chômeur.

— La période n'est pas bonne, tu sais, fit l'oncle, mais je vais quand même essayer de te trouver quelque chose.

Étienne remercia, puis il repartit sans grand espoir de ce côté-là, et il ne put cacher plus longtemps à Lina ce qui le préoccupait tellement.

— Pourquoi ne me l'avoir pas dit plus tôt ? s'insurgea-t-elle. On dirait que tu n'as pas confiance en moi.

— Bien sûr que si !

— Alors ?

— Ce n'est pas agréable d'avouer qu'on va être chômeur.

— Vous m'avez abritée, ta mère et toi, quand je ne travaillais pas. J'ai mis mon orgueil de côté. Fais comme moi, tu verras, ce n'est pas si difficile.

— Pour moi, si.

Elle s'emporta :

— Et moi donc ! Comment ai-je fait ? Pourquoi n'accepterais-tu pas que nous vivions avec mon salaire, alors que moi j'ai accepté de vivre avec le tien ?

Il voulut répliquer, se troubla :

— Parce que...

— Parce que quoi ?

Elle se tut un instant, reprit :

— Parce que je suis une femme ?

— Mais non, dit-il, vexé de se savoir deviné.

Elle vint s'asseoir près de lui sur le lit, murmura en souriant :

— Le mieux est que tu reviennes vivre avec ta mère. Je ne vois pas d'autre solution.

Il sursauta, la prit par les épaules, planta son regard dans le sien et comprit qu'elle plaisantait.

— C'est bien le moment ! dit-il.

— Le moment de quoi ? On est là, tous les deux, à l'abri, quoi qu'il arrive. 200 francs de loyer, mais 480 francs de salaire. Pense qu'on a failli être séparés par la guerre et que peut-être un jour prochain on le sera. Voilà ce qui est grave. Pour le reste, on s'arrangera toujours.

— Oui, finit-il par reconnaître, tu as raison.

À partir de ce jour, il se sentit moins seul, moins menacé, et il trouva la force de provoquer une ultime discussion à l'imprimerie entre les trois ouvriers : eux devaient prendre une décision puisque Marius en était incapable. C'est alors que Cordocou se montra sous un jour qu'ils ne lui connaissaient pas :

— J'ai soixante-deux ans, les minots. Je vais m'en aller. J'ai parlé à Marius : si je pars, moi qui suis le plus payé, il va peut-être pouvoir vous garder tous les deux.

Et, comme Étienne et Gino s'apprêtaient à protester, le vieil ouvrier poursuivit :

— Ma fille est mariée depuis longtemps. Avec ma femme, on se contentera de ce qui nous restera.

Il ajouta enfin :

— Et puis il y a le Parti. Je sais que je peux compter sur lui.

Étienne et Gino eurent du mal à trouver les mots devant cette attitude dont ils avaient cru incapable Cordocou qui, comme à son habitude, conclut en disant :

— On les a pas tous pendus. On le regrettera longtemps !

Étienne et Gino, très émus, le remercièrent en lui donnant une accolade qui lui arracha quelques jurons destinés à dissimuler son émotion. Étienne n'en revenait pas : ainsi, cet homme si dur, si froid, était capable de sentiments ? Ils l'avaient donc côtoyé si longtemps sans vraiment le connaître ?

Marius, mystérieusement prévenu, arriva sur ces entrefaites, mais il ne put confirmer qu'il allait pouvoir garder deux ouvriers.

— Tu m'avais promis ! hurla Cordocou. Tu vaux pas mieux que les patrons que tu prétends combattre !

Il faillit empoigner Marius désarçonné par une attaque aussi violente, et il fallut qu'Étienne et Gino s'interposent.

— Tu joues les anars, et t'es pire qu'un capitaliste ! glapit encore Cordocou, toujours aussi menaçant.

— Y a plus de travail ! se défendit mollement Marius. Est-ce que c'est de ma faute si on me fait payer mes convictions ?

— Parlons-en de tes convictions ! rugit Cordocou. Ton anarchie, tes libertaires, ce sont eux les véritables ennemis de la classe ouvrière. Ils nous tirent dans le dos !

Et une fois de plus il fit un pas en avant pour empoigner Marius qu'Étienne, heureusement, attira au-dehors pour le conduire au café de Jeannette. Là, devant un triple sec que Marius avala d'un trait, Étienne écrasa un morceau de sucre dans son café, avant de parler d'une voix qui ne trembla pas :

— Tu vas garder Gino. Il a besoin de travailler, parce qu'il va se marier.

— Et toi, tu l'es pas, marié ?

— Si. Mais j'ai demandé de l'aide à mon oncle Henri. Ça m'étonnerait qu'il ne me trouve pas quelque chose à la Compagnie.

Étienne ajouta, comme Marius le dévisageait d'un air accablé :

— Avec Lina, on pourra tenir en attendant.

Il soupira :

— Et puis, il y a ma mère. On peut compter sur elle.

Avant de prononcer ces mots, Étienne avait

longtemps réfléchi et s'était rappelé à quel point Gino les avait aidés, Lina et lui, notamment pour partir à Capbreton, quand ils n'avaient pas d'argent. C'était bien leur tour, aujourd'hui, de lui venir en aide, d'autant que la fiancée de Gino n'avait pas d'emploi et qu'elle attendait un enfant.

— Un enfant ? Lui ? s'exclama Marius.

— Oui ! Tout arrive, tu vois !

Ce dernier argument finit par convaincre Marius qui murmura, des larmes dans les yeux :

— Je te regretterai, gamin.

Et il souffla, souriant, faisant onduler ses longs cheveux blancs avec un signe de tête navré :

— J'aurais voulu avoir un fils comme toi. Mais un type comme moi ne peut pas se marier, tu comprends ?

Étienne acquiesça mais n'interrompit pas le vieil anarchiste :

— Ce sont les idées qui ont dévoré ma vie. La paix, la liberté, le refus de toute autorité.

Il soupira, reprit :

— Le refus de l'argent, des affaires, des magouilles. Et aujourd'hui j'arrive au bout. Et tu es là, toi devant moi, toi que je ne peux pas garder et à qui je tiens tant.

— Ne t'inquiète pas, dit Étienne en posant sa main sur celle de Marius. On n'est pas dans le besoin. On peut tenir quelque temps. Je te l'ai dit. Garde Gino.

— Tu es sûr ? Tu as bien réfléchi ?

— Mais oui. Garde Gino. Je lui dois bien ça.

Marius planta le regard délavé de ses yeux clairs dans ceux d'Étienne et murmura :

— Merci, gamin ! Passe me voir de temps en temps, j'en aurai besoin !

Il se leva, attira Étienne contre lui et l'embrassa.

14

Cet hiver-là fut très froid et l'on vit beaucoup de mendiants dans les rues à la recherche d'un peu de chaleur et de pain qu'ils trouvaient dans les locaux de la soupe populaire. Étienne dut faire appel à sa mère, car il fallait payer le charbon, et à la fin février ils étaient, avec Lina, un peu à court d'argent. Il était devenu hostile, coléreux, tout simplement parce qu'il ne supportait pas de vivre sans travailler. Il était allé à deux reprises rendre visite à Marius et à Gino à l'imprimerie, mais il n'y était pas revenu car il avait compris que les deux hommes avaient mauvaise conscience de le voir désœuvré et malheureux. Ils avaient parlé de l'Espagne où Barcelone était tombée le 26 janvier aux mains des franquistes, évoqué l'exode de Catalogne d'où des colonnes de réfugiés montaient vers les Pyrénées et la frontière française, en direction du col du Perthus.

Cette défaite des Républicains se confondait pour Étienne avec sa propre défaite, et il en souffrait comme d'une plaie à vif. Il avait tout essayé pour accepter la vie qu'on lui avait imposée en ville, et aujourd'hui il le regrettait amèrement. Elle n'était que luttes fratricides, trahisons, déceptions, alors qu'à Montalens, là-bas, au moins, même sans travail il aurait pu pêcher et profiter des beaux jours qui n'allaient pas tarder à éclairer la vallée de la lumière neuve du printemps. Il savait bien que les choses étaient beaucoup plus compliquées qu'il feignait de le croire, mais il y avait une telle révolte en lui qu'il rejetait tout ce qui était étranger à ses souvenirs d'une vie protégée, là-bas, dans la paix des saisons.

Il avait pensé un moment venir travailler à l'imprimerie sans être payé, mais il y avait renoncé pour ne pas accabler Marius et Gino qui se sentaient coupables de la situation. Lina ne lui posait pas de questions, se montrait douce et aimante, se disait persuadée, sans le croire vraiment, que tout s'arrangerait bientôt. En fait, elle ne s'inquiétait pas du chômage, mais des bruits de guerre, qui, de nouveau, en cette mi-mars, renaissaient avec l'entrée de l'armée hitlérienne à Prague.

C'est dans ce contexte désespérant que l'oncle Henri demanda à Étienne de passer le voir le soir du 20 mars, chez lui, dans le quartier Marengo. Étienne s'y rendit un peu avant l'heure, et discuta un long moment avec sa tante avant que l'oncle n'arrive, mais elle ne lui révéla rien de ce qu'il projetait.

— Ça a été très difficile, fit ce dernier dès qu'il

fut assis face à Étienne, mais je t'ai trouvé une embauche de six mois.

Et, comme Étienne, déjà, remerciait :

— C'est pas le Pérou, mais une fois entré à la Compagnie, on peut toujours espérer y rester.

— Merci, Henri ! J'en avais besoin, tu sais.

— Je sais, mon gars, mais c'est une place au bas de l'échelle, à l'entretien des voies.

— Ça m'est égal. Je veux travailler.

— Alors tu commences demain. Celui que tu remplaces est tombé malade. C'est si grave que si ça se trouve il ne reviendra pas.

— Merci ! répéta Étienne. De toute façon, j'aurais pris n'importe quoi.

L'oncle se leva, se saisit d'une bouteille de Pernod, en versa un fond dans deux verres, but une gorgée et reprit, comme pour s'excuser :

— Moi aussi j'ai commencé en bas de l'échelle. Mais tu sais, une fois qu'on est dans la place, on peut toujours espérer mieux.

— Je ne m'inquiète pas, dit Étienne. Du moment que je travaille, tout va bien.

Il s'en alla très vite, non sans avoir remercié une nouvelle fois son oncle, pour annoncer la nouvelle à Lina qui l'attendait avec anxiété, car au cours des jours précédents, il était devenu de plus en plus sombre, irritable, exprimant ouvertement son dégoût de la ville et de sa dureté. Lina, en le voyant dans cet état, n'était pas loin de partager ce désenchantement, mais elle s'en défendait. Ce soir-là, pourtant, ils oublièrent leurs soucis et ils se réjouirent en ouvrant une bouteille de corbières et en mangeant un délicieux cassoulet, puis ils se couchèrent pour célébrer d'une autre manière cet événement qui les réconciliait avec leurs espoirs.

Le lendemain, Étienne partit à six heures vers Marengo, où l'oncle le conduisit au dépôt et le présenta à Edmond, un chef d'équipe d'une cinquantaine d'années, brun et sec, moustachu, qui rassembla ses troupes – quelques hommes –, occupées à boire un verre devant le zinc qui semblait être le point de ralliement de tous les cheminots. Étienne les suivit vers une voie où attendait une draisine qui mit plus d'un quart d'heure à s'ébranler, puis sortit de la ville en direction de Carcassonne.

Il se trouvait assis devant un homme minuscule, dont la tête paraissait entièrement enfouie sous une casquette bleue, et qui lui dit, en lui tendant la main :

— Je m'appelle Louis. Je suis taupier.

Étienne crut qu'il avait mal compris, et il ne fit pas répéter le vieil homme dont les yeux semblaient pleurer tout seuls.

— Moi, c'est Étienne.

Louis ferma les yeux pour signifier qu'il avait entendu malgré le crissement des roues sur les rails. Les autres hommes, deux jeunes et un plus âgé, discutaient entre eux, non sans de temps en temps jeter un regard vers Étienne. Celui-ci comprit qu'ils parlaient de la situation politique et que, ne le connaissant pas, ils se méfiaient de lui. Puis Edmond s'approcha et lui dit :

— On va arriver. Alors je t'explique : on refait le ballast sur dix mètres, suite à un éboulement.

Il leva un index impérieux, reprit :

— On est sur une grande ligne. Il faut faire attention. Des fois, on n'entend pas le protecteur.

Et, comme Étienne paraissait ne pas comprendre :

— C'est lui, là, Roger. Celui qui a une trompe à la main. Il est chargé de prévenir de l'arrivée d'un convoi. Il protège, quoi.

Le nommé Roger, ayant vu qu'on parlait de lui, porta sa trompe de laiton à la bouche et lança son appel sonore.

— Les deux autres, toi et moi, on remblaye avec les pierres et les graviers. Mais ce matin, il faudra aussi changer une poutre en moins d'une heure. Tu as compris ?

— Très bien ! fit Étienne.

Puis, comme en se souvenant de la présence de Louis, qui était si chétif, si minuscule, Edmond reprit :

— C'est le taupier. Il est chargé de piéger les taupes qui creusent des galeries sous les talus et font écrouler le ballast.

Il tapa sur l'épaule d'Étienne et ajouta :

— Ça ira ?

— Ça ira, dit Étienne.

Dès qu'ils furent à pied d'œuvre, Edmond lui donna une fourche aux longues pointes serrées, destinée à charger les pierres qui avaient été déposées la veille entre la voie et le talus, et il se mit au travail en compagnie de ceux avec qui il n'avait pas encore parlé, et qui se prénommaient Édouard et Pierre. Ils paraissaient toujours aussi méfiants à son égard et ne se livrèrent un peu qu'au cours du repas de midi. Chacun avait apporté de quoi manger dans une sorte de cantine en fer-blanc. Étienne, qui avait été prévenu par l'oncle de prévoir un casse-croûte, le sortit d'une musette qui avait appartenu à son père.

Ils déjeunèrent en contrebas du talus, et il comprit rapidement qu'Edmond était un ami de l'oncle, tout comme Édouard et Pierre. Et quand ils s'indignèrent du sort de l'Espagne républicaine, Étienne ne cacha pas qu'il partageait leur opinion. Il se confia même un peu plus en expliquant d'où il venait et pourquoi il se trouvait là, ce matin de printemps, au bas de la voie ferrée, avec eux. Dès lors leur méfiance tomba, et, à la fin de la journée, Étienne avait déjà oublié les difficultés des semaines passées. D'autant qu'au moment de se séparer, le soir, Edmond, Pierre et Édouard l'invitèrent à boire un verre au dépôt. Ensuite, Étienne rentra rue des Teinturiers complètement rassuré et Lina le vit arriver avec le sourire, ce sourire qu'il avait perdu depuis trois mois et dont elle avait craint, sans jamais le lui dire, qu'il ne le retrouve jamais.

À la fin du mois de mars, on apprit par *La Dépêche* que la France et l'Angleterre avaient proposé de garantir leur sécurité aux petites puissances. Par crainte de l'Allemagne, la Hollande et la Belgique avaient refusé, mais la Grèce, la Roumanie et la Pologne avaient accepté.

— C'est de la folie ! s'insurgea Edmond, le lendemain, sur le chantier. Si les alliances jouent, on court tout droit à la guerre, comme en 14 !

— Et alors ? fit Édouard. Il va peut-être falloir se décider à lui faire la peau, au cinglé de Berlin !

Étienne, muet, comprit qu'ils ne partageaient pas la même opinion. Les plus âgés : Edmond, Louis et Roger étaient plutôt pacifistes tandis que les plus jeunes ne rêvaient que d'en découdre rapidement avec Hitler.

Il fut sommé, ce jour-là, de donner son avis et il devina qu'il allait décevoir ou les uns ou les autres. Il prit le parti d'Edmond, non seulement parce qu'il se sentait redevable envers lui, mais aussi parce que le chef d'équipe défendait exactement les mêmes positions que Gino, et surtout, enfin, parce que la perspective d'une guerre était ce qu'il redoutait le plus. Dépités, Édouard et

Pierre ne lui adressèrent plus la parole de la journée, et Edmond dut le rassurer, au dépôt, en lui expliquant que tout cela n'était que des querelles provisoires, que tout s'arrangerait dès le lendemain.

Il rentra cependant contrarié, ce soir-là, après sa journée de travail, et il ne remarqua pas que Lina paraissait enjouée, un sourire mystérieux posé sur ses lèvres. Ce fut seulement en s'asseyant à table qu'il aperçut posée devant lui une bouteille de blanquette de Limoux. Il leva les yeux sur elle, demanda :

— Qu'est-ce qu'on fête ? J'ai oublié ton anniversaire ?

— Non, fit-elle.

— Tu as eu une augmentation ?

Elle fit « non » de la tête.

— Alors ?

Elle contourna la table, s'approcha de lui, murmura :

— Tu ne devines pas ?

— Non, dit-il.

Elle lui prit les mains, le fit lever, planta son regard dans le sien et souffla, les yeux brillants :

— J'attends un enfant.

Il pâlit, son regard se durcit, tandis qu'il bredouillait :

— Un enfant ? Tu es sûre ?

— Absolument sûre !

Quelque chose venait de l'arrêter dans son élan

vers elle, une sorte de froideur, de refus, qu'il ne parvenait pas à dissimuler.

— Tu… tu n'es pas content ?

— Si ! dit-il après un instant d'hésitation.

Et il répéta :

— Si. Bien sûr.

Mais aussitôt, en entendant ce qu'elle lui annonçait, il l'avait imaginée seule, un enfant dans les bras, tandis qu'il partait pour la guerre.

— Embrasse-moi, alors.

Il la serra contre lui, l'étreignit, et enfin l'embrassa, comme elle le lui demandait.

— Un enfant ! répéta-t-il. Ça alors !

Elle avait senti sa retenue quand il l'avait prise dans ses bras, et elle en avait été meurtrie, mais elle espérait s'être trompée.

— Ce sera pour la fin de l'année, dit-elle.

Puis, s'asseyant face à lui :

— Tu ne débouches pas la bouteille ?

— Si. Bien sûr !

Tout en faisant sauter le bouchon, il la dévisagea comme s'il ne la reconnaissait pas. Et pourtant c'était bien elle, cette jeune femme brune aux yeux noirs, chez qui tout rappelait la petite Lina des bords de la Garonne. Et voilà qu'elle allait avoir un enfant – un enfant de lui, Étienne, près de qui elle s'était battue, elle avait lutté si longtemps.

— Quelle surprise ! fit-il, conscient de ne pas pouvoir se réjouir comme elle l'avait espéré.

Ils ne parvenaient pas à se servir, s'observaient avec une sorte de gêne dans le regard.

— Je vois bien que ça ne te fait pas plaisir, dit-elle enfin.

— Mais si, bien sûr.

Elle insista, demanda :

— Alors ! Qu'est-ce qui t'inquiète ? Ce n'est pas normal d'avoir un enfant quand on est mariés ?

— Si. Je suis très content. Mais je pense...

Il buta sur les mots, s'arrêta.

— Tu penses à quoi ?

— À une guerre possible.

Elle pâlit, comme sous l'effet d'une trahison.

— Tu m'as toujours dit qu'il n'y aurait pas de guerre, et que de toute façon, si ça arrivait, tu ne partirais pas.

— Oui, dit-il, c'est vrai.

— Alors ?

— Alors tu as raison, il ne faut pas s'inquiéter, dit-il.

— D'autant que tu as du travail maintenant.

— Oui. C'est vrai.

— Il faut avoir confiance, Étienne. On a toujours réussi ensemble.

— Oui, dit-il, c'est vrai.

— Alors buvons, fit-elle.

Ils trinquèrent et vidèrent d'un trait le vin blanc qui, aussitôt, colora leurs joues et fit briller leurs yeux.

L'été s'installa dès le début de juin, avec de longues journées de chaleur qui semblaient repousser les nuits jusqu'à près de onze heures. Étienne et Lina avaient très chaud dans leur petit logement proche de la Garonne, d'où ne montait pas le moindre souffle de vent. Allongés côte à côte sur leur lit, ils cherchaient vainement le sommeil sans pouvoir débarrasser leur esprit des nouvelles apprises pendant la journée. La France et l'Angleterre négociaient avec Moscou en vue de conclure un pacte à trois destiné à garantir la Pologne contre les prétentions d'Hitler sur Dantzig, une ville polonaise peuplée d'Allemands.

Sur le chantier, Pierre et Édouard se montraient optimistes : pour eux, comme pour Cordocou auparavant, jamais le « cinglé » ne prendrait le risque de se heurter à Staline.

— La France et l'Angleterre à l'ouest. L'URSS à l'est, il ne s'y aventurera pas ! assuraient-ils, approuvés par Edmond.

Ces propos rassuraient Étienne qui s'empressait de les rapporter à Lina, le soir, en rentrant, épuisé par la chaleur. Elle en souffrait comme lui, car sa grossesse lui donnait des nausées qu'elle avait du mal à dominer. Mais au fur et à mesure que le temps passait, son corps s'habituait peu à peu à cette petite vie qui était née au plus secret d'elle-même.

En juillet, la tension internationale retomba un peu grâce aux négociations en cours. Il leur sembla une nouvelle fois que les menaces s'éloignaient, comme l'année précédente, et comme au printemps. Lina se désola de ne pouvoir revenir à Capbreton au mois d'août, car Étienne, embauché depuis peu, n'aurait pas de congés.

— Pas même trois jours ? demanda-t-elle.

— Non ! Rien du tout.

Elle ne lui confia pas à quel point ce renoncement la décevait. Elle passerait donc ses quinze jours de congés à Toulouse en essayant de s'accoutumer à une grossesse qui n'était pas encore apparente, mais dont elle avait parlé à Isabelle en lui demandant de garder le secret vis-à-vis de la directrice. En effet, malgré les mots rassurants de son amie, elle craignait d'être chassée avant son accouchement, une femme enceinte n'étant pas la plus qualifiée pour conseiller des clientes soucieuses d'élégance et de la finesse de leur silhouette.

Étienne, lui, trouvait les journées longues sous la canicule qui augmenta encore au mois d'août et devint insupportable : les rails réverbéraient la lumière du soleil en direction des hommes qui ne cessaient de s'essuyer le front et de boire, certains de l'eau, mais d'autres du vin, ce qui les rendait agressifs. Il fallait toute l'autorité d'Edmond pour empêcher que les discussions ne dégénèrent, surtout le soir, avec la fatigue, quand la brûlure du soleil avait pendant huit heures harcelé les cheminots qui ne parvenaient pas à s'en protéger.

Le soir, pour trouver un peu de fraîcheur, Étienne et Lina allaient se promener sur les quais de la Garonne, retrouvaient des odeurs, des sensations du passé, mais Étienne évoquait rarement ce temps-là, car il savait qu'elle n'aimait pas ces retours en arrière. Lui, au contraire, en fermant les yeux, s'imaginait sur la barque donnée par Eugène, ou couché dans l'île, entre les fougères, mais il avait l'impression qu'il s'agissait là d'une autre vie, et peut-être même de celle d'un autre. Avait-il réellement vécu cela ? C'était si loin qu'il en doutait parfois, et en souffrait d'autant plus.

Le 15 août passa sans que ni l'un ni l'autre n'évoquent Capbreton, l'été 36, l'année de tous les rêves. La ville s'assoupissait le jour comme la nuit, bon nombre de magasins ayant fermé, dans une chaleur qui tournait régulièrement, le soir, à l'orage. Mais s'il tonnait au loin, la pluie venait rarement rafraîchir l'atmosphère de plus en plus épuisante.

Étienne et Lina se couchaient toutes fenêtres ouvertes, et, couverts de sueur, ne parvenaient pas à dormir : ils parlaient de cet enfant à venir – leur enfant –, faisaient pour lui des projets, se demandaient si ce serait un garçon ou une fille, et Lina se jurait que de toute façon, garçon ou fille, il ferait des études, menant à bien le seul rêve qu'elle n'avait pu réaliser – et alors plus jamais ce regret ne viendrait la hanter.

Le 23 août au matin, quand Étienne arriva au dépôt, des hommes s'empoignaient, se battaient, et l'on eut bien du mal à les séparer. En s'informant auprès du bistrotier, Étienne apprit alors l'incroyable nouvelle qui provoquait ces affrontements où perçaient une colère, une haine, un désespoir de folie : la nuit précédente, Staline avait signé avec Hitler un pacte de non-agression, laissant seules la France et l'Angleterre en face du fou.

Stupéfaits, les cheminots, communistes ou non, comprenaient soudainement qu'Hitler avait les mains libres pour attaquer la Pologne sans rien avoir à craindre de l'Union soviétique, et que la France et l'Angleterre, engagées par un traité d'alliance avec cette même Pologne, ne pouvaient rester sans réagir. La guerre, de nouveau, redevenait menaçante, sans doute davantage qu'elle ne l'avait jamais été.

Assaillis, insultés, les communistes faisaient front de leur mieux, à l'exemple d'Édouard, dans la draisine qui conduisait l'équipe sur le chantier, et qui clamait pour se défendre :

— Il a eu raison, Staline : toutes les guerres sont des guerres capitalistes. Elles ne nous concernent pas ! Qu'ils se battent entre eux et se détruisent mutuellement. Après, nous serons là !

— Tu vas voir si elle ne va pas te concerner, la guerre, pauvre con ! répliqua Edmond.

— Comment ça, pauvre con ! Tu te prends pour qui, toi, le vieux ?

Édouard se jeta sur son chef d'équipe, et il fallut qu'Étienne intervienne pour les séparer, non sans mal : Pierre était en congés, et ce n'étaient ni Louis ni Roger qui pouvaient l'aider. Ainsi, toute cette journée fut une journée pesante, irrespirable de rancœur et de colère, et à chaque instant le feu menaça de se rallumer.

Le soir, au dépôt, les discussions furent aussi violentes qu'au matin, si bien qu'Étienne se hâta de partir, mais il ne rentra pas directement rue des Teinturiers. Il passa par l'imprimerie pour savoir ce que pensaient Marius et Gino de la situation, et il les trouva accablés, persuadés que la guerre était inévitable. Rentré chez lui, il voulut une fois de plus se montrer optimiste auprès de Lina, mais elle avait entendu parler ses clientes toute la journée, et elle paraissait résignée.

— Espérons encore, dit-il. Ça peut s'arranger comme la dernière fois.

Elle hocha la tête, vint l'embrasser, mais elle ne répondit pas. Il comprit qu'elle avait perdu espoir et qu'elle se raccrochait seulement à l'idée qu'il ne partirait pas.

— Tu me l'as toujours dit, fit-elle. Tu n'as pas encore l'âge.

— Mais oui. Ne t'inquiète pas. De toute façon, tout sera terminé avant trois mois.

La semaine qui suivit ne fut qu'une course vers l'inéluctable, malgré les efforts de l'Angleterre et de la France pour pousser la Pologne à négocier avec l'Allemagne. En vain. Le 1er septembre les troupes allemandes entrèrent en Pologne, et la France et l'Angleterre décrétèrent la mobilisation générale à partir du 2 septembre, minuit.

Le surlendemain, au dépôt, tous les jeunes hommes étaient partis et Étienne s'était retrouvé seul avec ceux qui n'étaient plus en âge de porter les armes et qui, devant le journal *La Dépêche* étalé sur une table, lisaient et relisaient les mots de la une imprimés en gros caractères : « La France et l'Angleterre sont en état de guerre avec l'Allemagne, Londres depuis 11 heures, Paris depuis 17 heures. »

Étienne s'en fut voir son oncle Henri dans son bureau et le trouva anéanti : il prédisait un conflit long et meurtrier, observait son neveu comme s'il était étonné de le voir là, assis face à lui, inutile et vacant. Et c'est ce que ressentait Étienne, ce soir-là, devant son oncle qui n'était pas encore remis du pacte germano-soviétique, de cette traîtrise qu'il fallait tenter de justifier, alors que le cinglé de Berlin poursuivait ses agressions.

— Avec la guerre, on est tous menacés, dit l'oncle. Je comprends Staline, mais nous allons être considérés comme traîtres à la patrie, sans doute arrêtés et emprisonnés.

— Tu crois ?

— J'en suis persuadé.

Étienne, accablé, découvrait une réalité qui le dépassait.

— Qu'est-ce que je dois faire ? demanda-t-il, avec une telle détresse dans les yeux que l'oncle en fut ému.

Il soupira, puis murmura :

— Je ne vais pas te dire ce que tu dois faire, mais je vais te dire ce que j'aurais fait moi, à ton âge, et dans ces circonstances.

Il laissa passer quelques secondes, reprit :

— Je me serais engagé.

Étienne sursauta, comme s'il avait été frappé.

— M'engager ? s'écria-t-il. Mais Lina attend un enfant.

— De toute façon tu partiras, parce que la guerre durera, j'en suis sûr.

Puis il répéta, fixant toujours Étienne :

— Il faut combattre le fascisme partout, sinon il vaincra comme en Espagne, en Italie, et en Europe de l'Est. Staline le sait. Il a voulu gagner du temps, c'est tout. Mais il est persuadé qu'un jour ou l'autre il devra se battre lui aussi.

Étienne ne répondit pas. Les paroles de l'oncle se frayaient difficilement un chemin dans sa tête. Partir ? S'engager ? Qu'est-ce qu'il venait d'entendre là ?

— On m'attend. Il faut que j'y aille ! fit l'oncle brusquement.

Il se leva, contourna son bureau, se planta devant Étienne, qui, à son tour, se leva.

— Surtout, pas un mot de cette conversation à ta mère.

Puis, à la grande surprise d'Étienne, il se pencha vers lui et l'embrassa en le retenant un moment dans ses bras.

— Va ! dit-il. Et pense à ce que je t'ai dit.

Désemparé, Étienne erra un moment dans les rues, puis il se rendit chez Marius qui se trouvait seul dans l'imprimerie, Gino étant parti dès le premier jour de la mobilisation. Étienne fit part au vieil anarchiste du conseil que lui avait donné son oncle, et celui-ci lui répondit d'une voix consternée :

— Moi, je ne conseillerais jamais à un jeune de s'engager.

Il répéta plusieurs fois :

— Non ! Je ne pourrais pas. La guerre est le pire des malheurs qu'on puisse imaginer. Je le sais. Je l'ai vécu.

Et il ajouta, des larmes dans les yeux :

— Si tu veux, je te cache, au fond, là-bas, dans le dépôt de papier. Il y a un lit, et je te ravitaillerai.

— Merci, Marius, fit Étienne, très ému. Je vais réfléchir.

Il ne savait plus, soudain, ce qu'il devait faire, si la meilleure solution n'était pas d'attendre un avis d'incorporation au printemps prochain – ou même avant, si le besoin en hommes devenait urgent et si le gouvernement en décidait ainsi. Il embrassa Marius et s'en alla, songeant maintenant à Lina qui allait rentrer du travail. Les rues étaient presque désertes et on aurait dit qu'une chape de plomb était descendue sur la ville. Étienne s'aperçut qu'il ne croisait que des femmes et des vieux. Certains le dévisageaient bizarrement, comme s'ils se demandaient ce qu'il faisait là, si bien qu'Étienne finit par se le demander lui-même. Aussi rentra-t-il se réfugier rue des Teinturiers, où, désemparé, épuisé, il finit par s'endormir.

Ce fut Lina qui le réveilla en rentrant à sept heures, une Lina désespérée par tout ce qu'elle avait entendu au cours de la journée. Elle vint l'embrasser, et, comme pris en faute, il se leva rapidement et l'aida à préparer le repas du soir. Mais ni l'un ni l'autre n'eut la force de manger normalement. Alors ils s'accoudèrent un moment à la fenêtre, regardèrent la rue déserte, puis elle se mit à la vaisselle, et il l'aida à essuyer les assiettes. En reposant l'une d'elles sur l'évier, il dit brusquement :

— Je vais m'engager.

Elle suspendit son geste, se retourna, avec dans le regard une véritable stupeur.

— T'engager ?

— Oui, Lina.

Elle laissa tomber l'assiette qu'elle tenait, courut se réfugier dans la chambre, où, après une brève hésitation, il la rejoignit. Il s'assit sur le lit, voulut lui prendre une main, mais elle la lui refusa.

— Tu veux t'engager alors que notre enfant va naître avant la fin de l'année ? s'écria-t-elle.

— Oui.

— Tu te rends compte de ce que tu me dis, Étienne ?

— Oui.

Il soupira, reprit :

— Justement ! Je veux qu'il vive libre, mon enfant, pas sous la botte des Allemands !

— Ça te plaît donc tellement, la guerre ?

— Je ne suis pas allé en Espagne, ce n'était pas chez moi. Mais la France, c'est chez moi – c'est chez nous.

— Ce n'est pas la France que veut Hitler, c'est la Pologne.

— Il veut tout, Lina.

Elle se redressa brusquement, demanda avec une sorte de rage dans la voix :

— Et si tu ne reviens pas ? Tu y as pensé, à ça ? Tu as pensé que je pouvais rester seule avec un enfant qui n'aura pas de père ?

Il se troubla, mais répondit :

— Je reviendrai.

— Ah oui ? Tu reviendras ? Et comment peux-tu en être sûr ?

Il tenta de la prendre dans ses bras, mais elle le repoussa en criant :

— Tu ne peux pas me faire ça !

— Si, Lina ! Il le faut, pour lui, pour nous !

Elle se leva, et, le repoussant de nouveau, elle se précipita vers la porte et s'élança dans l'escalier.

Il demeura un instant incapable de bouger, puis il quitta lui aussi l'appartement et se dirigea vers le seul endroit où elle avait pu se réfugier, c'est-à-dire rue Réclusane, chez la mère, pour trouver du secours.

Trois jours plus tard, Étienne revint de la caserne Caffarelli avec sa feuille de route en poche. Pendant ces trois jours, il avait mis toute son énergie, toute sa force de persuasion pour convaincre Lina de le laisser partir. Et un soir, elle avait fini par capituler, après qu'il eut conclu une dernière plaidoirie en disant :

— Je ne veux pas que notre enfant soit allemand. Tu comprends ça ? Tu peux le comprendre ? Je ne veux pas qu'un jour il me demande pourquoi je n'ai rien fait pour lui éviter de vivre sous le joug d'un pays étranger, pourquoi il n'est pas libre de penser ou d'agir ! Je ne pourrais pas entendre ça de sa bouche ! Je ne pourrais pas, tu comprends ?

Et, comme elle se taisait, soudain, ne sachant plus où elle en était :

— Le fascisme est vainqueur partout. C'est ça que tu veux pour lui ? Les humiliations, les menaces, les persécutions, les arrestations, la terreur organisée comme mode de gouvernement !

Il l'avait prise par les épaules, l'avait secouée :

— C'est ça que tu veux, Lina ?

Elle n'avait pas répondu, mais s'était mise à pleurer et s'était laissée aller contre lui, résignée, convaincue, peut-être, mais impuissante, elle le savait maintenant, à lutter contre un ennemi trop fort pour elle.

Ce soir-là, en rentrant avec sa feuille de route, il lui dit simplement :

— Je pars après-demain pour le camp de Mailly, dans l'Aube.

Et il ajouta, en une sorte d'ultime concession :

— Je suis incorporé dans l'artillerie. On peut choisir son arme quand on s'engage. C'est ce que j'ai fait. C'est là que je courrai le moins de danger.

Elle eut un sourire qui était comme un remerciement et elle accepta de passer la nuit suivante dans ses bras. Nuit de fièvre et nuit de larmes, nuit de plaisir et de chagrin. Au réveil, ils échangèrent peu de mots, car ils auraient été trop douloureux. Tout était accompli. Ils se sentaient dans les mains d'un destin inconnu, où rôdaient des ombres redoutables.

— Aie confiance ! dit-il au moment de partir. On a toujours gagné, tous les deux.

— Oui, dit-elle, mais que sont devenus nos si beaux rêves de jeunesse ?

Elle soupira, ajouta :

— On n'aurait jamais dû venir à Toulouse : tu y as trouvé des amis qui t'ont changé, et parfois je ne te reconnais plus. Si on était restés là-bas, à Montalens, j'ai l'impression que rien de tout ça ne serait arrivé, qu'on serait encore à l'abri de la guerre et de ce monde qui devient fou.

— Mais non, dit-il, malheureux de la voir renier l'un de ses rêves les plus chers. Même là-bas les hommes doivent partir.

— Mais tu te serais caché facilement. Souviens-toi de l'île où l'on se réfugiait, toi et moi.

— Non, Lina, non ! Je ne me serais pas caché. Je serais parti quand même.

Anéantie, désespérée, elle n'insista pas mais le supplia de la laisser l'accompagner à la gare, et il finit par accepter. Peu avant de s'en aller, il lui rappela qu'elle ne devait pas rester seule, mais aller habiter chez sa mère un mois avant l'accouchement, comme ils en étaient convenus. Ils marchèrent lentement vers la gare Matabiau, séparés de quelques centimètres comme pour se préparer à la déchirure qui les attendait. À un moment donné, il s'arrêta brusquement et lui dit :

— Tu te souviens de ma maison, à Montalens ?

— Bien sûr ! fit-elle.

— Un jour on l'achètera.

Elle le considéra en esquissant un pâle sourire :

— Oui, l'approuva-t-elle. On l'achètera.

— On recommencera, ajouta-t-il.

— Oui. Tu as raison. On recommencera.

Elle lui prit la main et ne la lâcha que sur le quai, au moment où la porte du wagon s'ouvrit. Mais comment allait-elle pouvoir accepter de le voir s'éloigner ? Cela lui paraissait impossible. Il allait se passer quelque chose qui allait tout arrêter. Pourtant, quand il fut en haut des marches, elle ne trouva rien à dire, sauf ces quelques mots :

— Reviens, Étienne ! Sinon je pourrai pas.

Il sourit à cette expression qu'elle prononçait, le soir, dans la vallée heureuse, en lui demandant de l'attendre le lendemain, sous le pont de la voie ferrée, pour se rendre à l'école.

— Je reviendrai, dit-il. Je te le promets.

Il recula de quelques pas, se détourna, disparut dans le compartiment et s'empressa d'aller à la fenêtre.

Quand le train s'ébranla, il la regarda le plus longtemps possible, ne la quitta pas des yeux jusqu'à ce qu'elle se retourne enfin, silhouette légèrement penchée en arrière à cause de sa grossesse, et il pensa à cet enfant qu'elle portait. Un enfant qui serait heureux, parce qu'il s'en allait, lui, Étienne, pour le défendre dès avant sa naissance et lui forger une vie de bonheur et de liberté.

Christian Signol au Livre de Poche

Au cœur des forêts n° 33082

Depuis son enfance, Bastien a toujours vécu dans la forêt. Il en connaît tous les mystères, tous les sortilèges qu'il révélera à sa petite-fille gravement malade. Pour Bastien, elle est comme une forêt fracassée par l'orage.

Bleus sont les étés n° 14950

Berger sur son causse natal qu'il n'a jamais quitté, le vieil Aurélien se désole de devoir mourir sans descendance, dans un hameau presque déserté. L'arrivée d'une famille de vacanciers parisiens bouleverse sa vie. Entre le jeune Benjamin et lui se noue une complicité immédiate.

Bonheurs d'enfance n° 14524

En 1958, à 11 ans, Christian Signol quitte son village natal, dans le Quercy, pour devenir pensionnaire à la ville. Le romancier rouvre aujourd'hui la porte à ses souvenirs : les arbres, les champs, les goûters près du fourneau, le garde champêtre, les fenaisons et les vendanges… Et puis aussi la petite école, l'instituteur, la découverte de la poésie à travers Victor Hugo…

CE QUE VIVENT LES HOMMES

1. *Les Noëls blancs* n° 15262

Les Noëls blancs, ce sont ceux dont se souviendront François, Mathieu et Lucie Barthélémy, en repensant à leur enfance, là-bas, aux confins de la Corrèze et du Puy-de-Dôme, dans ce haut pays aux hivers rudes.

2. *Les Printemps de ce monde* n° 15415

Été 1939. La guerre arrive, qui va infléchir le cours de la vie des Barthélémy comme elle a infléchi celle de tous ces Français qui ont traversé le XXe siècle en aimant, en souffrant, et en suivant l'évolution de la société qui a glissé inexorablement des campagnes vers les villes, jetant bas le « vieux monde ».

Cette vie ou celle d'après n° 30380

C'est dans les solitudes du Vercors, son pays natal, que Blanche a décidé de se retirer. Quarante ans auparavant, elle s'était pourtant juré de n'y jamais revenir…

Les Chênes d'or n° 15072

Dès l'enfance, son père lui a fait découvrir tous les secrets de la truffe qui pousse sous les chênes des forêts périgourdines. Mais cet amour profond de la nature et des bois n'empêche pas une question de hanter Mélinda : pourquoi sa mère n'est-elle plus là ? Qui a allumé l'incendie où elle a péri ?

La Grande Île n° 30611

Une île sur la Dordogne, où vivent Bastien et sa famille. L'eau et la rivière sont leur univers, un paradis qui les fait vivre et les enchante. Si la guerre ne parvient pas à en briser l'harmonie, tout se dissout pourtant peu à peu, sauf le souvenir du bonheur, de l'enfance éternelle.

Ils rêvaient des dimanches nº 31900

Ce que nous sommes aujourd'hui, nous le devons au travail acharné, aux sacrifices, à l'obstination de nos aïeux, de nos parents qui ont lutté pour que leurs enfants, leurs petits-enfants vivent mieux. Ils rêvaient des dimanches pour prendre enfin un peu de repos, leur seule récompense avec le pain de chaque jour.

LES MESSIEURS DE GRANDVAL

1. *Les Messieurs de Grandval* nº 30833

Du milieu du XIXᵉ siècle à l'aube du XXᵉ siècle, une petite fonderie, aux confins du Périgord et du Limousin, sur laquelle règne la dynastie des Grandval. Dans la vallée de l'Auvézère, on est maître de forges de père en fils, et Fabien, l'aîné, succédera au patriarche Éloi, fût-ce au prix de son bonheur, de sa liberté.

2. *Les Dames de la Ferrière* n° 31111

Entre les fils du château et les filles du métayer, des liens se sont tissés dès l'enfance. Amours contrariées, rivalités, conflits familiaux… leurs destins ne cesseront de se croiser au gré des soubresauts de l'Histoire.

Pourquoi le ciel est bleu n° 32310

Il a fallu plus de quarante ans à Julien pour oser poser à son fils la question à laquelle sa mère avait répondu par une gifle cruelle quand il avait sept ans : « Pourquoi le ciel est bleu ? »

La Promesse des sources n° 14810

Installée à Paris, mariée puis divorcée, mère de Vanessa, 14 ans, entraînée dans une vie professionnelle trépidante, trop de souvenirs déchirants éloignent Constance de l'Aveyron où s'est écoulée son enfance. Pourtant, la mort de son père va la ramener dans son Aubrac natal.

Un matin sur la Terre n° 31514

Au matin du 11 novembre 1918, trois soldats sont informés que le cessez-le-feu interviendra à onze heures. Si près de la délivrance, Pierre, fils d'un notaire du Périgord, Ludovic, instituteur cathare, et Jean, ouvrier parisien, se souviennent de leur passé et imaginent l'émotion des retrouvailles si proches.

Une année de neige n° 30050

Sébastien a 10 ans et la leucémie menace sa vie. Il n'a qu'une obsession : rejoindre dans le Lot ses grands-parents qui sauront éloigner de lui la peur et la mort. Il est sûr que, là-bas, il trouvera l'énergie pour lutter contre la terrible maladie qui l'affaiblit chaque jour davantage.

Une si belle école n° 32673

1954 : Ornella, jeune institutrice sur les hauts plateaux du Lot, doit affronter l'hostilité du maire, du curé et des habitants qui ont besoin de leurs enfants dans les fermes. Mais elle rencontre Pierre, l'instituteur avec qui elle partage la classe, et c'est le coup de foudre.

1. *Les Vignes de Sainte-Colombe* n° 14400

À la veille de la guerre de 1870, Charles Barthélémie, maître du Solail, meurt. Léonce et Charlotte, ses enfants, s'affrontent pour diriger le domaine : des hectares de vigne mûrissant dans le Midi. Mais au-delà des rivalités familiales, les drames de la nature et de l'histoire vont se conjuguer pour faire du destin de Charlotte une suite de combats sans merci.

2. *La Lumière des collines* n° 14602

Au Solail, en cette année 1930, les effets de la crise économique frappent les vignerons. Charlotte Barthélémie lutte de toutes ses forces pour sauver sa terre. Chez les Barthès, ses métayers, Justin combat, lui, pour le progrès social. L'affrontement ne va pas sans une secrète estime entre eux.

Les Vrais Bonheurs n° 30756

«J'ai toujours pensé que la beauté du monde était destinée à nous faire oublier la brièveté tragique de nos vies. Peut-être un cadeau de Dieu, s'il existe, comme je l'espère…»

Du même auteur :

Aux Éditions Albin Michel

LES VIGNES DE SAINTE-COLOMBE :

1. Les Vignes de Sainte-Colombe (Prix des lecteurs du Livre de Poche), 1996.
2. La Lumière des collines (Prix des Maisons de la Presse), 1997.

BONHEURS D'ENFANCE, 1996.

LA PROMESSE DES SOURCES, 1998.

BLEUS SONT LES ÉTÉS, 1998.

LES CHÊNES D'OR, 1999.

CE QUE VIVENT LES HOMMES :

1. Les Noëls blancs, 2000.
2. Les Printemps de ce monde, 2001.

UNE ANNÉE DE NEIGE, 2002.

CETTE VIE OU CELLE D'APRÈS, 2003.

LA GRANDE ÎLE, 2004.

LES VRAIS BONHEURS, 2005.

LES MESSIEURS DE GRANDVAL :

1. Les Messieurs de Grandval (Grand Prix de lit-

térature populaire de la Société des gens de lettres), 2005.
2. Les Dames de la Ferrière, 2006.
UN MATIN SUR LA TERRE (Prix Claude-Farrère des écrivains combattants), 2007.
C'ÉTAIT NOS FAMILLES :
1. Ils rêvaient des dimanches, 2008.
2. Pourquoi le ciel est bleu, 2009.
UNE SI BELLE ÉCOLE (Prix Sivet de l'Académie française et Prix Mémoires d'Oc), 2010.
AU CŒUR DES FORÊTS (Prix Maurice-Genevoix), 2011.
LES ENFANTS DES JUSTES (Prix Solidarité-Harmonies mutuelles), 2012.
TOUT L'AMOUR DE NOS PÈRES, 2013.
UNE VIE DE LUMIÈRE ET DE VENT, 2014.
SE SOUVENIR DES JOURS DE FÊTE, 2016.
DANS LA PAIX DES SAISONS, 2016.

Aux Éditions Robert Laffont

LES CAILLOUX BLEUS, 1984.
LES MENTHES SAUVAGES (Prix Eugène-Le-Roy), 1985.
LES CHEMINS D'ÉTOILES, 1987.
LES AMANDIERS FLEURISSAIENT ROUGE, 1988.
LA RIVIÈRE ESPÉRANCE :
1. La Rivière Espérance (Prix La Vie-Terre de France), 1990.
2. Le Royaume du fleuve (Prix littéraire du Rotary International), 1991.
3. L'Âme de la vallée, 1993.
L'ENFANT DES TERRES BLONDES, 1994.

Aux Éditions Seghers

ANTONIN, PAYSAN DU CAUSSE, 1986.
MARIE DES BREBIS, 1986.
ADELINE EN PÉRIGORD, 1992.

Albums

LE LOT QUE J'AIME, Éditions des Trois Épis, Brive, 1994.
DORDOGNE, VOIR COULER ENSEMBLE ET LES EAUX ET LES JOURS, Éditions Robert Laffont, 1995.
UNE SI BELLE ÉCOLE, Éditions Albin Michel, 2014.

Le Livre de Poche s'engage pour l'environnement en réduisant l'empreinte carbone de ses livres. Celle de cet exemplaire est de :
300 g éq. CO_2
Rendez-vous sur www.livredepoche-durable.fr

Composition réalisée par Maury-Imprimeur

Imprimé en France par CPI
en février 2017
N° d'impression : 3022292
Dépôt légal 1re publication : mars 2017
LIBRAIRIE GÉNÉRALE FRANÇAISE
21, rue du Montparnasse - 75298 Paris Cedex 06